LE GUIDE ORO

PALERMO E MONREALE

BONECHI

© Copyright by CASA EDITRICE BONECHI
Via Cairoli 18b - 50131 Firenze, Italia
Tel. +39 055576841 - Fax +39 0555000766
E-mail: bonechi@bonechi.it - Internet: www.bonechi.it

Progetto e ideazione editoriale: Casa Editrice Bonechi
Direttore editoriale: Serena de Leonardis
Progetto grafico: Federica Balloni
Ricerca iconografica: Sonia Gottardo
Videoimpaginazione: Federica Balloni
Copertina: Laura Settesoldi
Redazione: Simonetta Giorgi

Testi: Patrizia Fabbri
Pianta: LAC (Litografia Artistica Cartografica)

Stampato in Italia dal Centro Stampa Editoriale Bonechi.

Le foto appartengono all'Archivio della Casa Editrice Bonechi
e sono state eseguite da Andrea Fantauzzo.
Altre foto sono state fornite da: Paolo Abbate, foto alle pp. 4, 21 in basso, 23 in basso,
24 in alto a destra e in basso a sinistra, 30 in alto e al centro, 31 in alto, 36 in basso,
37 in basso, 38, 39, 42 in alto e in basso, 47, 53 in alto, 55, 66 in alto, 68 in basso;
Gianni Dagli Orti, foto alle pp. 24 al centro e in basso a destra, 64 in alto;
Enzo Loverso, foto alle pp. 73-88;
Andrea Pistolesi, foto alle pp. 11-16, 52 in alto e al centro.

L'Editore ringrazia i Signori Franco Bertolino e Mimmo Cuticchio
per la cortese e competente collaborazione.

ISBN 88-476-0675-6

* * *

PRESENTAZIONE

La città di Palermo, adagiata fra il mare, il promontorio di Monte Pellegrino e gli agrumeti della Conca d'Oro, oltre che capoluogo della Regione Autonoma istituita nel 1947, può essere considerata oggi, a ragione, l'unica vera metropoli della Sicilia, il polo intorno a cui ruota tutta la vita economica, politica e culturale dell'isola. Un ruolo privilegiato, dunque, che le deriva da una storia secolare, da sempre segnata dalla felice posizione geografica. Se, infatti, sulle pendici di Monte Pellegrino l'uomo comparve fin dal Paleolitico, furono i Fenici, nell'VIII secolo a.C., ad apprezzare per primi i pregi di quell'insenatura naturale che è oggi la Cala e che a quell'epoca, più profonda di quasi 500 m, non tardò ad imporsi come scalo fondamentale per i traffici dell'intero Mediterraneo. Da allora il porto non avrebbe mai più abdicato alla sua funzione trainante non solo per l'economia, ma anche per la stessa storia palermitana: fu da esso che la città prese il nome (Palermo deriva infatti da "Panormus", "tutto porto", un'espressione di etimo greco, a riprova degli stretti rapporti intercorsi con le popolazioni dell'Ellade, che pure non dominarono mai sulla città); fu il porto che le consentì di stabilire contatti, di volta in volta, con tutte le maggiori e più evolute civiltà, acquisendo una fisionomia tipicamente cosmopolita; e fu ancora la sua importanza commerciale e strategica a donare alla città una ininterrotta fortuna, tutelata e incentivata nei secoli da soggetti egemoni diversi. Ai Fenici, infatti, succedettero nel V secolo a.C. i Cartaginesi, cui nel 254 a.C. subentrarono i Romani, che fecero della città, stretta costantemente intorno al suo porto e fortificata, un fiorente municipio.

Dopo una parentesi di quattro secoli in cui si registrò il repentino avvicendarsi di Vandali, Ostrogoti, Longobardi e Bizantini, la conquista araba dell'831 riservò a Palermo un nuovo periodo di sfolgorante splendore. L'antico abitato si arricchì di nuovi quartieri, tutti arroccati intorno al porto, e il loro tessuto viario, con l'intrecciato susseguirsi di vicoli che si conserva ancora oggi, rimane ai nostri giorni una delle poche testimonianze di quello che dovette essere uno dei più ricchi empori del Mediterraneo, contraddistinto ben presto da caratteristiche prettamente orientali, con moschee, splendidi palazzi, popolosi mercati, e che dal 948, eretto a capitale di uno Stato autonomo, fu anche sede di un emiro. I confini della sua estensione erano ancora quelli della "Paleapoli", la città fortificata che oggi costituisce il cuore antico di Palermo, pur presentando monumentali punti di

L'Annunziata, *celebre opera di Antonello da Messina.*

3

riferimento ormai riconducibili palesemente alla dinastia che agli Arabi sarebbe succeduta. Nel 1072, infatti, Roberto il Guiscardo guadagnava l'isola ai Normanni, nel 1130 Ruggero II veniva incoronato re di Sicilia, e con lui e i suoi successori, fino al munifico Guglielmo II, tutta la città conobbe un fervore di opere che le garantì un nuovo rigoglio architettonico. Con Enrico VI ai Normanni succedettero gli Svevi, che ebbero in Federico II, figlio di Enrico e di Costanza, ultima erede della dinastia normanna, un sovrano colto e magnifico, capace di creare a Palermo una corte splendida, vero faro illuminante per le lettere, le scienze, la cultura di un'epoca. Nel 1266 sull'isola giunsero gli Angiò, che con il loro prepotente malgoverno, sfociato nel 1282 nella cruenta rivolta del Vespro, agevolarono presto l'ascesa al potere degli Aragonesi. Fu allora che un ruolo predominante cominciò ad essere giocato dalle potenti famiglie feudatarie, capaci di innalzare splendidi palazzi (si pensi ad esempio a Palazzo Chiaramonte) destinati, insieme ai nuovi complessi conventuali degli ordini mendicanti, a divenire i fulcri intorno a cui andò delineandosi il nuovo assetto urbanistico della città. Ma la vera trasformazione si sarebbe registrata solo a partire dal Cinquecento, con l'insediarsi dei viceré spagnoli e un riassetto architettonico e urbanistico che coinvolse anche centri di potere e spazi pubblici e che portò in breve alla divisione nei quattro quartieri canonici e ad un fiorire di chiese, monasteri, palazzi, nonché di fontane e monumenti che abbellirono piazze e strade nuovamente concepite. E se questa tendenza non si interruppe neppure con l'avvento dei Borboni, nel 1734, solo nell'Ottocento Palermo riuscì a valicare i confini della città fortificata per espandersi radialmente al seguito dell'ampliarsi del porto. Col XX secolo l'espansione procedette verso nord, fino a raggiungere quella Mondello che ormai costituisce il lido prediletto dei Palermitani. Eppure, nonostante oggi Palermo si presenti con un aspetto moderno e operoso, guadagnato anche a prezzo di un progressivo spopolamento del centro antico, gravemente danneggiato dal terremoto del 1968, la sua anima conserva ancora molto del complesso retroterra storico, che affiora prepotente nel vivace folclore cittadino: lo dimostrano non solo le processioni, i carri trionfali e le animate feste popolari, ma anche e soprattutto le peculiari figure dei cantastorie, con le loro tavole illustrate dall'incredibile fascino naïf; il cromatismo acceso dei tipici carretti che continuano a vivacizzare, con la propria presenza, strade e piazze; e il celeberrimo Teatro dei Pupi, che con autentica suggestione fa rivivere le gesta di Cavalieri e Paladini, celebrando inconsapevolmente, nel loro trionfo sugli Arabi infedeli, un pezzo di storia che sembra sopravvivere nascosto nella memoria più reconditа della città.

PALERMO

PORTA NUOVA

Il punto d'accesso più classico al cuore storico di Palermo è solennemente scandito da una monumentale e originalissima costruzione che si innalza accanto alla severa mole del Palazzo dei Normanni. Chi proviene da corso Calatafimi e si immette in corso Vittorio Emanuele varca infatti la massiccia **Porta Nuova**, eretta nel 1583 sul luogo di una preesistente porta quattrocentesca per celebrare ed eternare un evento verificatosi quasi mezzo secolo prima, il trionfale ingresso in città di Carlo V, reduce, nel 1535, dalla vittoria di Tunisi. Di chiara impostazione manierista, la porta appare sormontata da una snella loggetta e culmina in una singolare cuspide maiolicata. La fascia più bassa, su cui spiccano imperiosi quattro telamoni, elemento ricorrente nelle architetture rinascimentali e barocche, subì in passato pesanti danneggiamenti, che condussero, nel 1669, ad un radicale rimaneggiamento dell'intera struttura della porta.

Una veduta dell'imponente Porta Nuova con, in alto, un particolare dei quattro telamoni.

*La facciata secentesca del Palazzo dei Normanni, un dettaglio
dello stemma marmoreo che sovrasta il portone d'ingresso
e una veduta frontale dell'ingresso principale.*

IL PALAZZO DEI NORMANNI

In quello che è oggi il cuore storico di Palermo, nell'antichità sorge-
vano probabilmente alcune fortificazioni puniche e romane. Su di
esse gli Arabi, nel IX secolo, eressero una possente fortezza nota anche come "Palazzo degli Emiri", che a propria volta i Normanni in-
grandirono e trasformarono in una sontuosa reggia riccamente decorata da sapienti artefici arabi e bizantini, e da allora in poi destinata ad ospitare per secoli i sovrani di Sicilia e le loro famiglie. Proprio in questa reggia, fra l'altro, un re magnifico e illuminato, Federico II di Svevia, colto e amante delle arti, riuniva la sua celebre
corte, dove un posto d'onore ebbero sempre letterati, poeti, scien-
ziati e filosofi. Comunque, il ruolo di centro politico e amministrati-
vo rivestito nella vita dell'isola da questo palazzo andò piano piano
riducendosi proprio con il declino della dinastia sveva. Questo
portò ad un parziale abbandono della reggia, sottoposta di conseguenza ad un progressivo degrado, tanto che alla metà del Cinquecento, con l'affermarsi del dominio spagnolo e il ritorno in auge
dell'intero complesso come residenza ufficiale del viceré, si rese ne-
cessaria una sua radicale ristrutturazione, cui fecero seguito tutta
una serie di massicci rimaneggiamenti. È così che il **Palazzo dei**

Normanni che svetta in tutta la sua austera compattezza accanto a Porta Nuova, di fronte al monumento barocco a Filippo V che troneggia al centro della piazza antistante, si presenta oggi in realtà con una severa facciata secentesca, realizzata a partire dal 1616 per volontà del viceré Vigliena e più volte rimaneggiata nei due secoli successivi. Dell'antica struttura normanna rimane però, alla destra dell'ingresso principale, la possente Torre Pisana, oggi sede dell'osservatorio astronomico fondato nel 1786 da Giuseppe Piazzi. In questa torre, le opere di ricerca e di studio iniziate nel 1921 su disposizione del Ministero della Pubblica Istruzione per il recupero delle parti dell'originaria reggia normanna ancora eventualmente esistenti, hanno portato alla luce, fra un intrecciarsi di camminamenti di ronda fiocamente illuminati, una suggestiva camera del tesoro, con quattro grosse giare interrate nel pavimento, che nei tempi di maggior splendore delle dinastie normanna e sveva dovettero contenere un patrimonio inestimabile di monete d'oro. Gli stessi lavori hanno condotto alla scoperta e al recupero di numerosi ambienti di grande interesse, come le tetre prigioni e la Sala degli Armigeri, con un'elegante volta a crociera, fornendo un'idea piuttosto definita della struttura originaria dell'edificio. Ma, fra gli ambienti, i più suggestivi rimangono comunque quelli da sempre celebri e apprezzati, primo fra tutti la stupenda Sala di Ruggero. Situata al secondo piano, essa si presenta magnificamente decorata da una raffinata sequenza di mosaici che coprono per intero la parte alta delle pareti, le volte e i sottarchi. Risalenti al 1170, essi riproducono, con la finezza e la predilezione per le forme geometrizzanti tipiche dell'ornato orientale, eleganti scene di caccia, in cui animali e vegetali, uomini e figure mitologiche, appaiono delineati con estrema maestria e ricercatezza. Il colpo d'occhio complessivo è davvero impressionante e fa di questo autentico scrigno dorato il gioiello più famoso fra quelli gelosamente conservati nell'intero Palazzo dei Normanni. La Sala di Ruggero è oggi parte integrante dell'ala riservata un tempo agli appartamenti reali, composti da un'articolata serie di splendide stanze, come la sala da pranzo, essenziale con le eleganti arcate ogivali che tradiscono ancora la sua antica funzione di atrio, la raffinata Sala Gialla, la ben più scenografica Sala Rossa, la Sala dei Viceré e, soprattutto, il Salone di Ercole, cinquecentesco ma stupendamente affrescato nel 1799 da Giuseppe Velasquez, che oggi ospita le riunioni dell'Assemblea Regionale della Sicilia, vero e proprio parlamento dell'isola.

Veduta d'insieme del palazzo, con la piazza che le sta di fronte.

*La facciata sud-occidentale del Palazzo dei Normanni,
contraddistinta da un austero impianto decorativo.*

*In basso, gli splendidi giardini che si estendono di fronte al Palazzo
dei Normanni con, al centro, il monumento a Filippo V.*

I GIARDINI

Secondo una diffusa e gradevole consuetudine, le dimore degli emiri
arabi prima e i grandi palazzi dei sovrani normanni e svevi poi erano
allietati dalla presenza di vasti e lussureggianti giardini, ove la vegetazione cresceva rigogliosa fra bacini artificiali e splendidi giochi
d'acqua, garantendo l'ombra e la frescura di piacevoli oasi ai regali
proprietari, alla loro corte e ai loro ospiti. Fu così anche per il palazzo reale di Palermo che, nel periodo di maggior splendore, vantò un
curatissimo **parco**. Il decadere della struttura ebbe chiare conseguenze anche sui suoi giardini, che oggi, comunque, hanno riacquistato
buona parte del loro antico fascino, offrendo all'austero Palazzo dei
Normanni una gradevole cornice di verde e di elegante vivacità.

I CORTILI

Attualmente l'imponente e complessa struttura del Palazzo dei Normanni si sviluppa intorno a spaziosi **cortili** interni, su cui si affacciano le diverse ali dell'edificio. E anche questi cortili, ciascuno con proprie, precise caratteristiche, offrono peculiari motivi di interesse. Il Cortile Maqueda, in particolare, che conserva ancora il nome di un antico viceré, si segnala per l'elegante impianto architettonico, con il triplice ordine di arcate sovrapposte, gli agili loggiati e una sobria armonia che contraddistingue gradevolmente l'insieme. Una seconda fila di esili colonnine culminanti in eleganti capitelli lavorati e con profonde ogive disegnate dallo slancio degli archi, incornicia invece una suggestiva decorazione musiva che adorna la parte alta delle pareti. Anche un altro cortile appare senza dubbio degno di menzione: quello detto della Fontana, più dimesso, ma ugualmente pregevole per struttura architettonica ed eleganza d'insieme.

Alcune immagini che mettono in luce la ricercatezza stilistica del Cortile Maqueda.

Alcuni esempi degli stupendi mosaici che impreziosiscono il cortile Maqueda.

Pagina a fianco, un dettaglio della cupola che sovrasta l'altare, al di sopra dell'abside, con l'immagine del Cristo Pantokrator, e un particolare del mosaico dell'abside in cui appare raffigurato il Cristo benedicente nel più classico stile bizantino.

LA CAPPELLA PALATINA

Fra gli ambienti originari che ancora testimoniano lo splendore e il fasto della vita all'interno del Palazzo dei Normanni, il più suggestivo e splendido rimane certamente la **Cappella Palatina**, con l'abbagliante sfolgorio dei suoi mosaici. Le opere per l'edificazione di questo luogo sacro destinato ad ospitare le funzioni riservate alla famiglia regnante ebbero inizio nel 1130, in concomitanza con l'incoronazione a re di Sicilia di Ruggero II, e poterono dirsi compiute solo tredici anni dopo, come testimonia una data, il 1143 appunto, indicata da un'iscrizione della cupola come quella della sua consacrazione. A pianta basilicale con presbiterio sopraelevato, articolata in tre navate suddivise da file di colonne di granito culminanti in elaborati capitelli corinzi suggestivamente dorati, essa presenta artistici pavimenti e balaustre e muri riccamente intarsiati. Ma sono soprattutto gli splendidi mosaici a catturare l'attenzione e la meraviglia del visitatore. Il soffitto ligneo di tipica fattura islamica, per la verità, meriterebbe comunque una particolare attenzione per l'estrema ricercatezza dell'ornato decorativo di matrice araba, uno dei più antichi giunti fino a noi. La sua peculiare particolarità risiede nel fatto che in esso compaiono pitture con figure umane: un'innovazione riconducibile all'influenza persiana e accettata solo da alcune scuole del XII secolo, che la misero in atto, peraltro, in zone per certi versi "marginali" del mondo arabo, come poteva dirsi Palermo. Ma l'elaborato insieme ligneo del soffit-

Alle pagine seguenti, l'altare e il catino absidale della Cappella Palatina, e la cupola che sovrasta l'altare.

to tocca indubbiamente il suo vertice più alto nella stupenda cupola a decorazioni musive, ove troneggia il grande Cristo Pantokrator, circondato da un corteggio di angeli e dalle figure intere dei quattro Evangelisti. Sono questi i mosaici più antichi dell'intera Cappella Palatina, databili anch'essi al 1143, ma numerosi altri, ugualmente suggestivi, adornano le pareti del transetto, così come quelle delle navate e gli archi che si slanciano al di sopra dei capitelli delle colonne. I soggetti, le figure, i personaggi ritratti in questi vasti cicli musivi si ispirano a episodi del Vecchio e del Nuovo Testamento, con una particolare pre-

Un particolare del cero pasquale che fiancheggia il monumentale ambone, in porfido, malachite e oro, che si innalza alla destra dell'altare della cappella (in basso).

dilezione per le vicende della vità di Gesù. Molto suggestivo si presenta anche, nel catino dell'abside, il grande Cristo benedicente, che si staglia al di sopra di un'accorata e plastica Vergine, mentre in alto, sul tramezzo, spicca un'aggraziata Annunciazione, concepita nei canoni figurativi più tradizionali del genere. Ai lati dell'abside, in testa alle navate, i mosaici si incentrano invece, secondo uno schema consueto, sulle figure dei SS. Pietro e Paolo. Lo stile classicamente bizantino che pervade l'insieme lascia comunque ampio spazio al gusto decorativo più tipicamente arabo in quegli ornati che spiccano qua e là, con i ricorrenti intrecci vegetali e le figure stilizzate di animali. Un luogo dall'indubbia valenza artistica, dunque, questa Cappella Palatina, che da sempre ha saputo affascinare personaggi illustri, come quel Maupassant che non esitò a tessere, della sua bellezza, lodi imperiture. Ma essa rimane soprattutto un luogo di culto capace di testimoniare nei secoli la profonda devozione che animò sempre i regnanti normanni della Sicilia.

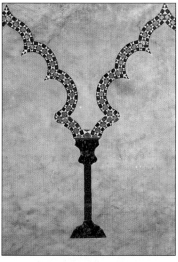

In basso, il mosaico con il Cristo affiancato dai SS. Pietro e Paolo, che domina la controfacciata, e due particolari delle raffinate decorazioni che la adornano.

15

Due immagini che sottolineano la bellezza dei cicli musivi
che adornano le pareti delle navate.

IL PARCO D'ORLEANS

Alle spalle del Palazzo dei Normanni, non lontano dal cuore di quella che fu la città fortificata, l'antica "Paleapoli", nucleo originario dell'attuale Palermo, il Palazzo Orléans, elegante sede della Regione Siciliana, segna l'accesso all'omonimo, estesissimo **parco**. Particolarmente ricco di vegetazione, esso rappresenta una delle aree verdi più belle di tutta la città, incantevole con i suoi specchi d'acqua e la curatissima disposizione delle aiuole, delle siepi, dei boschetti dai molti, diversissimi alberi e arbusti. Una vasta oasi, dunque, che si apre alle spalle di corso Re Ruggero, offrendo splendidi scorci, di incomparabile suggestione, e un colpo d'occhio complessivo estremamente piacevole e scenografico.

Due scorci del rigoglioso Parco d'Orléans, vera oasi di lussureggiante vegetazione nel cuore di Palermo.

17

Due particolari di S. Giovanni degli Eremiti, con le inconfondibili cupole rosse di matrice orientale.

S. GIOVANNI DEGLI EREMITI

Uno dei più caratteristici monumenti normanni della città, **S. Giovanni degli Eremiti**, fu innalzato nel 1136 per volontà di Ruggero II sul luogo dove un tempo, nel periodo della dominazione araba, era stata edificata una moschea. La nuova chiesa rappresentò l'appendice splendida di un austero complesso monastico destinato in breve tempo a raggiungere grande ricchezza ed enorme potenza grazie ai privilegi concessi dallo stesso sovrano normanno: il suo abate vantava infatti la carica di cappellano e confessore del re, si fregiava della dignità di vescovo ed era chiamato a celebrare tutte le messe festive nella Cappella Palatina. Inoltre, ancora in virtù di un decreto di Ruggero, rimasto peraltro inapplicato, proprio nel cimitero del convento di S. Giovanni degli Eremiti avrebbero dovuto trovar sepoltura i membri della famiglia reale. Quanto ai monaci, essi usavano passeggiare e raccogliersi in meditazione nell'annesso chiostro, costruito alla fine del XII secolo e che ancora sopravvive in tutta la sua leggiadra eleganza, con le candide e snelle colonnine appaiate e il grazioso pozzetto. Ma la vera peculiarità del complesso rimane la chiesa, di modeste dimensioni, composta da un unico vano solcato da arconi trasversali, con vistose tracce dei mosaici e delle piastrelle che lo decoravano in antico, oltre a numerose vestigia, specie nei soffitti, della preesistente moschea che doveva coincidere con il fianco dell'attuale transetto e di cui si conservano ancora alcuni brani di affreschi. L'edificio odierno si segnala però soprattutto per l'aspetto esterno reso assolutamente inconfondibile dalla presenza di cinque cupole rosse che sovrastano il corpo centrale, quadrato e austero, e il campanile, massiccio eppur svettante grazie alle ampie monofore che vi si aprono, cupole che attestano inequivocabilmente l'origine araba delle maestranze preposte all'edificazione della chiesa. Intorno, un lussureggiante giardino odoroso di piante esotiche e aranci, gelsomini e rose, costituisce una stupenda oasi, che pare avvolgere piacevolmente l'intero complesso, nonché la cornice più adatta per un monumento dal fascino così tipicamente orientale.

Un'immagine dei resti del chiostro e, in basso, l'austero interno di S. Giovanni degli Eremiti.

LA CATTEDRALE

L'evoluzione artistica e architettonica che nel corso dei secoli ha contraddistinto la storia della splendida **cattedrale di Palermo**, dedicata alla Vergine Assunta, ne ha fatto senza dubbio il monumento che meglio di ogni altro sintetizza le diverse vicende storiche della città, eppure, sorprendentemente, non pare averne assolutamente compromesso l'unitarietà stilistica e strutturale. Fondata nel 1184 per volontà dell'arcivescovo Gualtiero Offamilio (Walter of the Mill) sul luogo ove già sorgeva un'antica basilica, convertita dagli Arabi in moschea e quindi restituita al culto cristiano dai Normanni, la chiesa ebbe originariamente un impianto basilicale culminante nelle tre splendide absidi, una delle poche zone che ancora oggi si segnalano per aver conservato la primitiva configurazione: comprese fra due snelle e raffinate torrette, esse si distinguono per la tipica decorazione normanna, fatta di intrecci di arcate, di raffinate tarsie, di archi pensili e a doppia ghiera e di caratteristiche merlature curvilinee, il tutto impreziosito da una tenue ma suggestiva policromia. Quanto alla facciata principale della chiesa, essa si apre da sempre ad occidente, su quella che è oggi via Bonello, ma il suo aspetto attuale risale solo ai secoli XIV e XV: fiancheggiata anch'essa da due torri, splendide con il loro alternarsi di colonnine e bifore, presenta uno stupendo portale gotico i cui originari battenti lignei sono stati però sostituiti nel 1961 da altri bronzei, opera di Filippo Sgarlata. Nell'edicola che lo sovrasta spicca una pregevole Madonna quattrocentesca. Due grandiose arcate ogivali a doppia ghiera, che scavalcano agilmente via Bonello, collegano in maniera certo inusuale questa facciata all'antistante campanile, squadrato e massiccio nella

Il portico del fianco meridionale della cattedrale e, in alto, la statua settecentesca di S. Rosalia nell'atto di sconfiggere la peste di Messina.

parte inferiore, di epoca medievale, lavorato ed elegante, con una raffinata corona di campanili più piccoli e il motivo ricorrente delle arcatelle, nella fascia superiore, opera ottocentesca di Emanuele Palazzotto.

Estremamente articolato si prospetta anche il fianco meridionale della cattedrale, dove, compreso fra due basse torrette, campeggia un elegante portico a tre arcate ogivali, realizzato intorno al 1430 da Antonio Gambara in stile gotico-catalano. La prima colonna a sinistra dovette appartenere alla chiesa che esisteva prima della cattedrale al tempo in cui essa venne trasformata in moschea, come dimostra il passo del Corano che ancora vi è inciso. Anche sotto questo portico, sormontato da un timpano decorato a motivi orientaleggianti, si apre, quasi sorvegliato dalle statue dei quattro Evangelisti accolte dalle nicchie laterali, un ricco portale, opera ancora del Gambara, dai caratteristici elementi goticheggianti. Il prospetto meridionale si affaccia sulla grande piazza della Cattedrale, splendida con il suo rigoglioso giardino di palme, sistemata urbanisticamente nel Quattrocento per volontà dell'arcivescovo Simone da Bologna, ma ingentilita, nel secolo successivo, dall'aggiunta della fontana marmorea e delle scenografiche balaustre coronate da statue di Santi che ne costituiscono l'artistica recinzione. Anche la fontana, peraltro, può vantare la presenza di un espressivo gruppo scultoreo allegorico che, svettante, la domina dall'alto. In esso, realizzato nel 1744 su committenza di Igna-

Una delle statue dei quattro Evangelisti che occupano le nicchie sotto il portico del fianco meridionale della cattedrale e, in basso, una veduta della zona absidale.

*L'interno della cattedrale, di chiara impostazione neoclassica
e la piccola Cappella di S. Rosalia, dove si conservano
le ossa della protettrice di Palermo.*

zio Sebastiano Gravina, principe di Belmonte, è raffigurata S. Rosalia che sconfigge la peste di Messina. Il collocamento del nuovo gruppo scultoreo offrì inoltre l'occasione per sostituire l'antica fontana della piazza della Cattedrale, da sempre nota come "Fontana dei Tre Vecchioni", con l'attuale, elegante ed agile struttura.

Il fianco settentrionale dell'edificio appare invece quello che più manifestamente ha risentito della stratificazione dei diversi e successivi rimaneggiamenti cui tutto l'edificio, peraltro, è stato sottoposto. Esemplare si rivela, in questo senso, l'ambientazione del cinquecentesco portico che ancora oggi vi si apre, riconducibile con sicurezza al Gagini ma che si presenta chiaramente inglobato dalle opere di

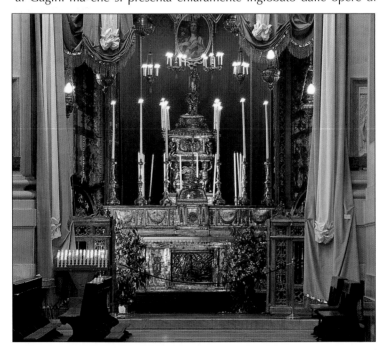

sostanziale ristrutturazione condotte nel 1781, oltre ad apparire arricchito da un portale risalente al 1659.

Anche la grande cupola di matrice barocca venne aggiunta nel 1781, nell'ambito del radicale rimaneggiamento cui sovrintese Ferdinando Fuga, quello stesso che lasciò anche altri segni palesi della propria opera, trasformando l'originaria pianta basilicale della cattedrale in una pianta a croce latina, con l'aggiunta delle navate laterali e delle ali del transetto.

Così oggi l'interno, che fino al 1801 continuò a subire modifiche in grado di conferirgli un'elegante – ma un po' fredda – armonia neoclassica, si presenta scandito da pilastri, ciascuno includente quattro colonne della precedente chiesa a pianta basilicale, e conserva numerose statue realizzate da Francesco Laurana e Antonio Gagini, addossate in questa nuova configurazione ai pilastri, oltre a diversi elementi scultorei gagineschi. La navata destra si segnala in particolare per le celebri tombe imperiali e regali che vi sono accolte: da quelle di Ruggero II ed Enrico VI, morti rispettivamente nel 1154 e nel 1197, al sarcofago romano in cui riposano le spoglie di Costanza d'Aragona, dalle tombe dell'altra Costanza, l'imperatrice figlia di Ruggero II, e di Federico II all'urna di Pietro d'Aragona e al sarcofago di Guglielmo duca d'Atene, morto nel 1338.

Antiche origini vantano anche il maestoso coro ligneo in stile gotico-catalano del 1466, il trono episcopale e il candelabro pasquale a decorazione musiva del XII secolo. Bellissimo appare infine il trecentesco Crocifisso ligneo che, con il suo stile marcatamente gotico, domina l'altare del transetto sinistro e che proviene dall'antica chiesa di S. Niccolò la Kalsa. Il transetto destro ospita invece la Cappella di S. Rosalia, intitolata alla protettrice di Palermo di cui qui sono custodite le ossa, protette da una preziosa urna d'argento massiccio.

Particolarmente interessante si rivela anche la suggestiva cripta della cattedrale (XII secolo), che conserva pressoché inalterata l'antica struttura normanna, articolata, grazie alla presenza di colonne di granito, in due navate trasversali, di cui una impreziosita da ben sette absidiole, sovrastate da volte a crociera. Qui sono custodite numerose tombe, romane o bizantine, normanne o ancora

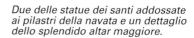

Due delle statue dei santi addossate ai pilastri della navata e un dettaglio dello splendido altar maggiore.

Alcuni dei preziosi oggetti
facenti parte del Tesoro
della Cattedrale: un paliotto
cinquecentesco appartenuto
all'arcivescovo Carandolet,
un paramento liturgico
del XVIII secolo, la tiara
d'oro di Costanza d'Aragona,
un recipiente in vetro, opera
siculo-araba del XIII secolo
e un particolare del piviale
con il Battesimo di S. Ninfa
(XVIII secolo).

più tarde, in cui riposano i resti di illustri personaggi di epoche diverse. Fra questi, anche quello stesso Gualtiero Offamilio cui, come si è visto, si deve la fondazione della cattedrale. La navata anteriore della cripta è invece oggi parzialmente occupata dal basamento dell'abside del monumentale complesso.

Una speciale menzione merita infine il ricchissimo Tesoro della Cattedrale, conservato ed esposto nelle vetrine allestite in un'apposita sala e composto da paramenti sacri cinquecenteschi, smalti bizantini ed altri, innumerevoli oggetti di pregevole fattura. Su tutti spicca, però, indubbiamente la celebre e bellissima tiara d'oro, tempestata di perle e pietre preziose, che appartenne anticamente a Costanza d'Aragona e che in origine venne deposta, insieme ad altri gioielli, nel suo sepolcro, da dove in seguito fu recuperata per essere offerta nuovamente, in tutta la sua raffinatezza, all'ammirazione che le era dovuta.

IL PALAZZO ARCIVESCOVILE

Allo stesso arcivescovo che volle la sistemazione della piazza della Cattedrale, Simone da Bologna, si deve anche l'edificazione del superbo **Palazzo Arcivescovile** che vi si affaccia, fronteggiando il Duomo. Dell'originaria costruzione quattrocentesca la facciata principale conserva ancora chiari segni, nell'ambito dell'attuale conformazione, risultato dei radicali rifacimenti cui l'edificio fu sottoposto nel XVIII secolo: il portale, con l'arme dei Beccadelli-Bologna, e la raffinata trifora in stile gotico-catalano. Il secondo cortile immette nelle sale del **Museo Diocesano**, interessante istituzione fondata nel 1927 e ingrandita nel 1952, che raccoglie quadri e sculture un tempo conservati in antiche chiese ora distrutte o soppresse, nonché marmi provenienti dalla vicina cattedrale e ancora capitelli, fregi, bassorilievi, prodotti pregevoli dell'arte rinascimentale e barocca in Sicilia.

Una veduta del Palazzo Arcivescovile che evidenzia la grande trifora gotico-catalana che caratterizza la facciata settecentesca.

I QUATTRO CANTI

Proprio nel cuore della Palermo barocca, sorta dalla volontà di riassetto e riordino urbanistico che contraddistinse marcatamente i primi decenni del dominio spagnolo, si apre **piazza Vigliena**, meglio nota con il caratteristico nome di **Quattro Canti**. Essa appare infatti formata dall'intersezione delle due principali arterie del centro cittadino, corso Vittorio Emanuele (l'antico Cassaro) e via Maqueda, che, incrociandosi ad angolo retto, danno vita a quattro popolosi rioni. Smussando sapientemente gli angoli di questo incrocio, si riuscì a conferire alla piazza un originale perimetro ottagonale, sottolineato da quattro prospetti architettonici speculari, realizzati nel più elegante stile barocco, concepiti progettualmente nel 1609 da Giuseppe Lasso e condotti a compimento più di dieci anni dopo ad opera di Giuseppe De Avanzato. Ogni "canto" presenta un primo ordine, posto all'altezza del piano stradale, ingentilito dalla presenza di una fontana, a propria volta sormontata da una delle statue delle quattro Stagioni, realizzate da Gregorio Tedeschi e Nunzio La Mattina; un ordine intermedio, che in una nicchia ospita la statua di un sovrano, rispettivamente Filippo II, Filippo III e Filippo IV, sovrani di Spagna, e l'imperatore Carlo V, opere scultoree create tutte dall'esperta mano di Giovanni Battista D'Aprile; e infine una terza fascia ove cam-

peggiano le effigi marmoree di quattro Sante protettrici della città, Agata, Cristina, Ninfa e Oliva. Per la sua posizione centrale e per l'indubbio fascino della sua originale struttura, piazza Vigliena ha rappresentato a lungo il vero cuore della vita cittadina palermitana, luogo di elegante passeggio e teatro compiacente della risoluzione di importanti affari.

La statua della santa che troneggia sul canto addossato alla chiesa di S. Giuseppe dei Teatini e, in basso, due dei quattro canti ai quali si deve il caratteristico nome con cui è più nota piazza Vigliena.

LA CHIESA DI
S. GIUSEPPE DEI TEATINI

Ai margini di piazza Vigliena, addossata al più occidentale dei quattro canti, sorge grandiosa la chiesa di **S. Giuseppe dei Teatini**, la cui navata si allunga fino ad affacciarsi dall'altro lato sulla vicina piazza Pretoria. Eretto agli inizi del Seicento su progetto dell'architetto Giacomo Besio, questo maestoso edificio di culto rappresenta in assoluto una delle creazioni architettoniche più prestigiose e sontuose del Seicento palermitano, pur ostentando una facciata estremamente semplice e lineare, che sembra quasi far da luminosa ma composta corona alla statua di S. Gaetano, fondatore dell'ordine dei Teatini, che troneggia nella nicchia centrale. Di sicuro fascino si presentano anche la cupola settecentesca con slanciato tamburo ornato da colonne binate, realizzata da Giuseppe Mariani e inconfondibile per la lucentezza delle maioliche che la ricoprono, e la torre campanaria, opera dell'architetto Paolo Amato. Gli interni, a croce latina con tre navate scandite da colonne marmoree, rifulgono invece di tutto il più caratteristico splendore barocco, merito di una ricchissima decorazione realizzata fra la metà del XVII e l'intero corso del XVIII secolo. Stupendi appaiono anche i grandi affreschi della navata, della volta del transetto e della cupola, opera di Filippo Tancredi, Guglielmo Borremans e Giuseppe Velasquez, incorniciati da stucchi di Paolo Corso e di Giuseppe Serpotta: benché gravemente danneggiati durante la seconda guerra mondiale, essi sono stati restaurati e recuperati con sapiente diligenza. Indubbiamente degna di nota si presenta anche l'interessante cripta, che altro non è se non l'intero spazio volumetrico di una chiesa più antica, intitolata alla Madonna della Provvidenza e sopravvissuta proprio grazie all'inglobamento nei sotterranei del nuovo edificio sacro.

L'interno di S. Giuseppe dei Teatini e, in alto, la cupola settecentesca.

PIAZZA PRETORIA

Dietro piazza Vigliena si apre una delle piazze più antiche e suggestive di Palermo, **piazza Pretoria**, che deve il nome alla presenza, sin dal 1463, sul suo lato meridionale che si appressa a piazza Bellini, del Palazzo Pretorio, oggi Municipio, un tempo sede delle riunioni del Senato palermitano. La configurazione attuale della piazza, racchiusa da edifici di grande pregio architettonico, fra cui le due chiese di S. Giuseppe dei Teatini e S. Caterina, che si fronteggiano, risale però al Cinquecento, quando tutta la zona venne adeguatamente livellata e risistemata appositamente per accogliere, nel 1574, la grandiosa fontana che ancora oggi ne occupa quasi per intero la superficie. Realizzata fra il 1554 e il 1555 dal fiorentino Francesco Camilliani, scultore e architetto manierista, per la lussuosa residenza toscana del viceré don Pedro de Toledo, essa venne in seguito venduta dal figlio di questi alla città di Palermo, che la pagò la ragguardevole cifra di 30.000 scudi. Per renderne possibile il non agevole trasferimento, fu necessario smontare la fontana in ben 644 pezzi, che vennero pazientemente ricomposti direttamente sulla piazza, sotto la guida del figlio dell'autore, Camillo Camilliani.
Estremamente monumentale e scenografica, l'opera riunisce una serie di bacini sovrapposti di diverse dimensioni, ingentiliti da eleganti decorazioni marmoree, dove le figure allegoriche si alternano alle divinità, i personaggi mitologici agli animali. La cancellata che la circonda è invece un'opera ottocentesca di Giovan Battista Basile.

*Veduta della piazza,
con il fianco della chiesa
di S. Caterina, sormontata
dalla cupola, la sobria facciata
del Municipio e la scenografica
fontana, di cui si ammira,
a destra, un dettaglio
delle decorazioni marmoree.*

*Ancora un dettaglio dell'apparato decorativo della fontana
di piazza Pretoria e, in basso, la facciata del Municipio
con un particolare della nicchia che ospita la statua di S. Rosalia.*

IL MUNICIPIO

L'attuale sede municipale sorse nel Quattrocento come Palazzo Pretorio ma, con le successive, radicali modifiche che ne trasformarono l'aspetto e la struttura nei tre secoli successivi, mutò anche il nome in quello di Palazzo Senatorio. L'edificio è però diffusamente conosciuto anche come Palazzo delle Aquile per l'aquila che troneggia in rilievo al di sopra del portale d'ingresso. La facciata, semplice e armoniosa nella sua impostazione geometrizzante, appare sovrastata dalla statua di S. Rosalia, opera di Carlo D'Aprile (XVII secolo), e sobriamente movimentata dall'artistico portale e dalla presenza di alcune lapidi celebrative che ricordano significativi episodi storici. All'interno si conservano numerose e pregevoli opere d'arte.

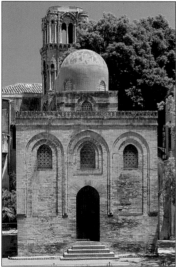

La chiesa di S. Cataldo, a fianco di S. Maria dell'Ammiraglio, la sua originale facciata ed una suggestiva veduta dell'interno.

LA CHIESA DI S. CATALDO

Proprio nel cuore della città vecchia, **S. Cataldo** si presenta come un elegante quadrilatero solcato da arcatelle cieche parzialmente occupate da finestre e sormontato da tre cupolette rosse. Costruita nel XII secolo per volontà dell'ammiraglio Majone di Bari, questa chiesa rappresenta un interessante esempio di architettura normanna: merito soprattutto dei sostanziali restauri ottocenteschi che mirarono a recuperare l'originaria semplicità architettonica, cancellando l'arbitrarietà degli interventi e dei rimaneggiamenti succedutisi nel corso dei secoli.

L'interno, a pianta rettangolare, articolato in tre navate ed estremamente austero, con le nude pareti che fanno da sfondo alle sei colonne di diversa provenienza che sorreggono arcate orientaleggianti, conserva il pavimento, dalla stupenda decorazione musiva, originale come l'altar maggiore. Le tre cupolette, che all'esterno coronano l'edificio, appaiono all'interno innestate su nicchie angolari.

LA CHIESA DI S. MARIA DELL'AMMIRAGLIO O MARTORANA

Adiacente alla chiesa di S. Cataldo, si erge un altro edificio di culto, **S. Maria dell'Ammiraglio**, così detta perché innalzata nel 1143 per volontà di Giorgio di Antiochia, ammiraglio di Ruggero II, e nota anche come **chiesa della Martorana** da quando, nel 1436, venne assegnata per volontà del re Alfonso d'Aragona alle monache dell'omonimo convento, fondato appunto, nel 1194, da Eloisa Martorana. Dell'originario edificio romanico ben poco rimane, dopo le trasformazioni e i rimaneggiamenti succedutisi nel corso dei secoli: spiccano ancora il campanile, riccamente decorato, a quattro ordini di archi e logge illeggiadriti da bifore, colonnine e tarsie, che in origine affiancava la facciata, e l'antico impianto a croce greca della chiesa, peraltro ampliato e allungato alla fine del Cinquecento con il conseguente aggiungersi di una nuova facciata su quello che anticamente era il fianco dell'edificio, della cupola e di un altar maggiore di chiara matrice barocca che conferiscono all'insieme un indubbio fascino eclettico. Nel Seicento la chiesa venne privata dell'abside, cui fu sostituita una cappella affrescata, mentre nel

La facciata barocca della chiesa della Martorana, sovrapposta-si all'originaria fiancata dell'edificio romanico, di cui sopravvive il campanile.

Un particolare di un mosaico delle arcate, con la Natività.

secolo successivo fu gravemente danneggiata da un violento terremoto. L'interno, diviso in tre navate, presenta la parte alta delle pareti interamente rivestita da splendidi mosaici, tutti originali e fra i più antichi dell'intera Sicilia. Realizzati probabilmente da maestranze bizantine alla metà del XII secolo, essi riproducono scene tratte dall'Antico e dal Nuovo Testamento, figure di Apostoli, Evangelisti e Profeti, il tradizionale Cristo benedicente che rifulge al centro della cupola, ma anche Ruggero II, per l'occasione ritratto dal vero, che riceve la corona da Gesù e, sul lato settentrionale della navata, Giorgio di Antiochia ai piedi della Vergine. Gli affreschi della porzione mediana dell'edificio e del presbiterio, in parte attribuiti a Guglielmo Borremans, sono invece riconducibili alle modifiche sei-settecentesche. La chiesa è oggi officiata secondo il rito greco-bizantino, dopo che nel 1937 fu eretta a concattedrale della diocesi di Piana degli Albanesi.

LA CHIESA DEL GESÙ

I Gesuiti giunsero in Sicilia nel 1549 e di lì a quindici anni, conquistato un indiscusso potere, dettero inizio alla costruzione della loro prima chiesa nell'isola, proprio nel cuore di Palermo, là dove fin dal IX secolo era sorto un convento di monaci basiliani. Si trattava di una zona in antico ricca di anfratti, che la tradizione voleva rifugio prediletto di santi eremiti, dove ancora oggi è possibile rintracciare interessanti catacombe paleocristiane. Certo è che al convento basiliano si erano sovrapposte nel tempo almeno cinque chiese diverse prima dell'intervento risolutivo dei Gesuiti.

Fra il 1591 e la metà del secolo successivo, il nuovo edificio ebbe ad ampliarsi ulteriormente con il sorgere di tutta una corona di cappelle laterali e con l'innalzamento della cupola, fino ad affermarsi come uno dei più pregevoli esempi di arte barocca siciliana, che pur mantiene vivo il ricordo del rigore tipico del tardo Rinascimento. Anche l'interno, con pianta a croce latina articolata in tre navate, presenta una straordinaria ricchezza e una peculiare opulenza decorativa fatta di marmi, stucchi, tarsie, che colpiscono per la loro luminosa eleganza. Al compimento dell'apparato ornamentale sovrintesero alcuni fra gli stessi Gesuiti, non ultimo Angelo Italia da Licata, e contribuirono schiere di artigiani che si alternarono all'opera per almeno due secoli. Settecenteschi sono invece gli affreschi delle volte della navata e del presbiterio. Splendida appare anche la cappella alla sinistra di quella maggiore, intitolata a

L'elegante facciata della chiesa del Gesù, uno dei più pregevoli esempi di arte barocca dell'intera Sicilia e, in alto, la cupola vista dall'interno.

Alcune immagini che evidenziano la magnificenza stilistica e decorativa della chiesa, con la preziosità degli altari e il vigore espressivo degli stucchi e delle sculture.

S. Anna e interamente ricoperta da una preziosa decorazione in marmo. Tuttavia, gran parte della chiesa oggi non si presenta più nel suo aspetto primitivo: essa è stata infatti restaurata – e non sempre, purtroppo, è stato possibile farlo nel rispetto delle forme originarie – dopo gli ingenti danni provocati nel 1943 da un devastante bombardamento, che causò anche la perdita irreparabile di alcuni degli affreschi (sopravvissero solo quelli di Filippo Randazzo nella navata e quelli della volta del presbiterio), per la cui sostituzione ci si rivolse, fra il 1954 e il 1955, all'apprezzabile opera di Federico Spoltore.

Alla destra della chiesa del Gesù si incontra il fronte ovest della celebre **Casa Professa**, che vanta un interessante portale del 1685 e un pregevole chiostro settecentesco. Proprio dal chiostro si ha accesso alla **Biblioteca Comunale**, che qui trovò una degna – e definitiva – collocazione nel 1775, quindici anni dopo essere stata fondata e otto anni dopo la cacciata dei Gesuiti dal regno borbonico e dunque anche dalla loro splendida chiesa palermitana.

IL TEATRO MASSIMO

Particolari del frontone
e dei capitelli che adornano
la facciata neoclassica
del Teatro Massimo (in basso).

Uno dei più grandi e prestigiosi teatri europei, il **Teatro Massimo**, vero tempio della lirica, sorse su progetto di Giovan Battista Basile, che nel 1875 sovrintese anche all'inizio dei lavori, portati a termine poi, nel 1897, da suo figlio Ernesto. Per collocare il nuovo edificio in una cornice consona, nello stesso periodo si procedette all'abbattimento di numerose costruzioni della città barocca, che lasciarono il posto all'attuale piazza Giuseppe Verdi.

Il teatro si erge maestoso, con i suoi quasi 8000 mq di superficie e la superba facciata in stile neoclassico: una vasta scalinata, fiancheggiata da due leoni di bronzo su cui troneggiano le statue della Tragedia e della Lirica, conduce al pronao a sei colonne, sormontato da un grande frontone. Ai lati, semicolonne e semipilastri si alternano ad ampie finestre che occupano buona parte delle pareti lungo tutto l'edificio. L'interno, anch'esso di pregevole fattura e riccamente decorato, è contraddistinto dalla presenza di cinque ordini di palchi.

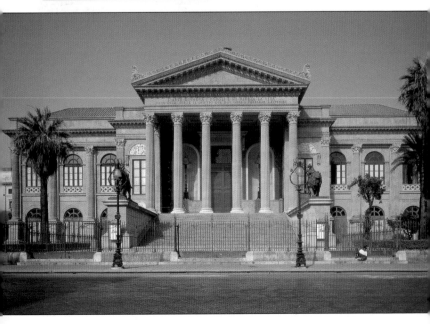

IL TEATRO POLITEAMA GARIBALDI

Edificato fra il 1867 e il 1874 su progetto e sotto la capace supervisione di Giuseppe Damiani Almeyda, il **Teatro Politeama Garibaldi** svetta a dominare piazza Ruggero Settimo con la sua elaborata e scenografica struttura circolare, che si richiama palesemente, anche nella spiccata policromia, ai più classici modelli pompeiani. Nel maestoso portale, con arco a tutto sesto che ricorda quelli trionfali, culminante in un grande bassorilievo, realizzato da Benedetto Civiletti, e in un gruppo scultoreo, opera di Mario Rutelli, che si sviluppa intorno a una quadriga bronzea, paiono convergere i due ordini sovrapposti dei loggiati architravati che corrono lungo il perimetro dell'intera struttura.

Un dettaglio della quadriga bronzea che sovrasta l'ingresso del Teatro Politeama, un particolare del bassorilievo che sormonta l'arco trionfale e il monumentale arco che, con il suo corpo avanzato, segna l'accesso al teatro.

LA GALLERIA D'ARTE MODERNA

Le sale dell'ultimo piano del Politeama Garibaldi accolgono dal 1910 la **Civica Galleria d'Arte Moderna Empedocle Restivo**, una prestigiosa collezione composta da 235 opere dell'Ottocento e del Novecento italiani in genere e siciliani in particolare. Essa costituisce la naturale continuazione dell'altrettanto ricca collezione della Galleria Regionale sita in Palazzo Abatellis, che si spinge appunto solo fino agli ultimi anni del Settecento. Fra le opere esposte al Politeama si segnalano sculture di Benedetto Civiletti ed Ettore Ximenes, mentre fra i pittori spiccano Carlo Carrà, Renato Guttuso, Gino Severini, Mario Sironi, Remo Brindisi, Domenico Purificato e Fausto Pirandello.

POLITEAMA

Il grande spazio che si apre di fronte al Teatro Politeama e che viene correntemente indicato con il nome stesso del teatro, si fraziona in realtà in due settori definiti, piazza Castelnuovo e **piazza Ruggero Settimo**. Proprio quest'ultima ospita il bel monumento eretto in onore del capo del governo provvisorio siciliano del 1848 da Benedetto De Lisi Junior nel 1865. In angolo con via Ruggero Settimo spicca invece il raffinato Chiostro Ribaudo, opera di Ernesto Basile (1916).

IL TEATRO BIONDO

Percorrendo via Roma, si incontra la chiesa intitolata a S. Antonio Abate. Proprio di fronte, accanto all'elegante facciata neoclassica di Palazzo Arezzo, si erge la mole del **Teatro Biondo**. Realizzato nel 1903 da Nicolò Mineo, che lo dotò di una serie di ampie finestre e di un austero e monumentale frontone, esso rappresenta la prima struttura cittadina di prosa.

La scenografica facciata del Teatro Biondo e, in alto, l'ingresso della Galleria d'arte Moderna.

LA CHIESA DI S. DOMENICO

Pregevole esempio di architettura barocca, **S. Domenico** fu eretta nel 1640 su progetto di Andrea Cirrincione sul luogo di una preesistente chiesa trecentesca ampliata nel 1458. Il nuovo edificio avrebbe raggiunto però il proprio compimento con la realizzazione della monumentale facciata solo nel 1726, due anni dopo la creazione, davanti al sagrato fino ad allora "soffocato" dalla vicinanza delle case che per questo vennero abbattute, dell'omonima piazza. L'interno accoglie sepolcri e cenotafi di numerosi Siciliani celebri, fra cui Francesco Crispi.

Una veduta di piazza Castelnuovo e la facciata della chiesa di S. Domenico.

S. CITA

Antico edificio di culto a croce latina eretto nel 1369 e originariamente dedicato a S. Mamiliano, **S. Cita**, o **S. Zita**, com'è altrimenti conosciuta, subì profonde trasformazioni alla fine del XVI secolo e vide compiuta la propria facciata solo nella seconda metà del Settecento. Gravemente lesionata dai bombardamenti dell'ultimo conflitto mondiale, venne accuratamente restaurata ed oggi conserva ancora al suo interno pregevoli opere d'arte. Un vero e proprio gioiello è inoltre rappresentato dall'adiacente e omonimo **oratorio**, il cui stupendo interno è interamente rivestito di stucchi databili al 1688-1718 e riconducibili all'esperta arte di Giacomo Serpotta: scene allegoriche si alternano qui alle più consuete rappresentazioni dei Misteri del Rosario, il tutto in un festoso intreccio di puttini. All'ingresso spicca invece un'austera Battaglia di Lepanto, mentre i banchi lignei che fiancheggiano le pareti si segnalano per gli stupendi intarsi in madreperla.

Lo stupendo interno dell'oratorio di S. Cita, con i pregevoli stucchi che ne ornano le pareti e incorniciano la riproduzione della Battaglia di Lepanto (in basso) che sovrasta l'ingresso.

IL MUSEO ARCHEOLOGICO REGIONALE

Ospitato dalle secentesche strutture dell'ex convento dei Padri Filippini dell'Olivella, restaurate per far fronte ai danni ingenti causati dai bombardamenti della seconda guerra mondiale, il **Museo Archeologico Regionale**, uno dei maggiori d'Italia per la ricchezza delle sue raccolte, offre un'esauriente panoramica sulle diverse civiltà che si insediarono nei territori siciliani, dai Fenici ai Cartaginesi, dai Greci ai Romani, e sulle loro più disparate manifestazioni artistiche. Fondato agli inizi del XIX secolo come Museo Universitario, esso venne trasferito nell'attuale sede, articolata su tre piani, già nel 1866.

Al piano terreno, i due chiostri e gli ambienti circostanti accolgono numerosi reperti di archeologia sottomarina e sculture orientaleggianti e classiche, con l'aggiunta di materiali provenienti da Tindari, Imera ed Agrigento. Il grande salone è invece dedicato agli oggetti e ai reperti di Selinunte, fra cui numerose stele gemine, la stupenda raccolta di metope dei grandi templi della città siciliana, impreziosite da sculture e bassorilievi, e il celebre Efebo di Selinunte, statua bronzea del V secolo a.C. All'interessante collezione etrusca proveniente per intero da Chiusi e comprendente urne funerarie, sarcofagi, buccheri, cippi sepolcrali, tutti risalenti a un periodo che va dal VII al I secolo a.C., è riservato poi un grande ambiente, sempre al piano terra.

Le gallerie del primo piano accolgono invece vari materiali che arrivano un po' da tutta la Sicilia, da Marsala a Segesta, da Termini Imerese a Solunto: così, alle lucerne, alle terrecotte figurate, agli oggetti restituiti dalle necropoli del Palermitano, si affiancano i piccoli e i grandi bronzi, greci, etruschi, romani, fra cui il celebre Ariete di Siracusa (III secolo a.C.) e il pompeiano Ercole che abbatte un cervo. Altre sale accolgono frammenti appartenuti al Partenone, nonché collezioni di oreficeria e numismatica. Quest'ultima in particolare si segnala per alcuni pezzi veramente pregiati, come il decadramma di Siracusa e la celebre moneta della leggenda dei Sicelioti.

Al secondo piano, infine, hanno trovato collocazione le raccolte di reperti preistorici, paleolitici e neolitici, dell'Età del Rame, del Bronzo e del Ferro, che spaziano dagli utensili alle armi, ai primi rudimentali ornamenti; ma anche le preziose ceramiche greche ed italiote, cui sono riservate apposite sale, insieme a mosaici ed affreschi di provenienza e fattura romane.

Fra le ceramiche greche in particolare campeggiano per eleganza e raffinatezza i

In alto, un pregevole esempio di ceramica policroma e al centro, un'antefissa etrusca del VI secolo a.C. A fianco, l'Ariete di Siracusa, opera bronzea di straordinaria potenza realistica.

*Una delle monumentali metope provenienti dai templi
di Selinunte, abbellita da pregevoli bassorilievi
raffiguranti scene mitologiche, straordinaria
testimonianza della raffinatezza raggiunta
dall'arte siceliota.
A fianco, testa di canopo proveniente
da Chiusi (arte etrusca, VI secolo a.C.).*

grandi crateri a campana con scene
mitologiche: l'ascesa di Eracle
all'Olimpo su quello proveniente da
Gela, la partenza di Trittolemo
su un carro alato su quello ri-
trovato ad Agrigento. Bellissimo anche il cosiddetto
cratere delle Amaz-
zoni, del V secolo
a.C., proveniente an-
ch'esso da Gela.
Elegantissimi si presentano pure i grandi mosaici, come quello in cui appare raffigurato
un espressivo Orfeo, circondato dalle
fiere ammaliate. La sala riservata
alla scultura romana si segnala
invece, in particolare, per la
cospicua presenza
di statue, busti,
ritratti e anche
di sarcofagi di
personaggi illu-
stri, fra cui alcuni
imperatori, raccolti
in varie parti della
Sicilia.

*A fianco, una copia
del celebre Laocoonte
conservato presso
i Musei Vaticani.
In alto, una delle raffinate
teste leonine che ornano
alcune grondaie del
Tempio della Vittoria
di Imera (V secolo a.C.).*

41

LA VUCCIRIA

Popolarissimo e pieno di vita, il **mercato della Vucciria**, in piazza della Concordia, rappresenta uno dei cuori pulsanti della città di Palermo e lo specchio fedele degli usi e delle consuetudini della gente di Sicilia. Qui, fra distese di agrumi e tranci di pescespada, fra colori e aromi intensissimi, l'anima genuina di questo popolo si mostra libera nella sua travolgente spontaneità. E spontanei si rivelano anche i personaggi che vi si possono incontrare, vere e proprie celebrità in ambito cittadino, dall'arrotino, che si vanta di essere uno degli ultimi rimasti a Palermo, al signor Vincenzo del banco di frutta e verdura, dal signor Antonio, che commercia in spezie, al signor Salvatore, titolare di un banco di pesce noto per il vastissimo assortimento. Qui, insomma, anche fare la spesa può rivelarsi un interessante e piacevole diversivo, oltre che un modo inconsueto per conoscere la città.

*Alcune immagini del pittoresco
mercato della Vucciria:
una bottega di spezie, olive
e peperoncini, un banco
di frutta e verdura
e un banco del pesce.*

Ancora scorci del
popolarissimo mercato,
dove si può trovare
di tutto, dalla frutta
al pane di giornata,
dalle verdure più tipiche
al pesce fresco, primi
fra tutti il tonno
e il pescespada.

LA CHIESA
DI S. FRANCESCO D'ASSISI

Quello che fu il ricco quartiere dei mercanti, nel cuore della vecchia Palermo, non distante da corso Vittorio Emanuele, accolse curiosamente la prima **chiesa** cittadina dell'ordine mendicante, intitolata appunto a S. Francesco d'Assisi e destinata a una vita travagliata. Edificata fra il 1255 e il 1277 nel luogo su cui in precedenza erano già sorte due diverse chiese, fu sottoposta a sostanziali rimaneggiamenti nel Quattrocento prima, con l'aggiunta delle cappelle laterali, nel 1533 poi, con la realizzazione delle volte a crociera, e quindi nel 1589, con l'ampliamento e l'allungamento del presbiterio, nel 1723, con la realizzazione della pregevole decorazione a stucco ad opera di Giacomo Serpotta, che giungeva a naturale compimento di quella ad affreschi ultimata nel secolo precedente, nel 1823, per far fronte ai danni di un violento terremoto – e con l'occasione la si improntò al gusto neoclassico allora dominante –, e infine nel secondo dopoguerra, quando, di fronte alle devastanti conseguenze dei bombardamenti del 1943, si procedette ad un radicale restauro che restituì alla chiesa l'originario aspetto duecentesco, testimoniato anche da alcuni elementi della primitiva struttura sopravvissuti all'esterno, lungo il lato destro e nella corona delle absidi. Oggi la facciata, sapientemente restaurata alla fine dell'Ottocento, presenta ancora il pregevole portale gotico risalente all'inizio del XIV secolo, sormontato da una raffinata edicola e da un grande rosone. I due portali laterali denotano invece una più sobria matrice rinascimentale e risalgono con ogni probabilità alla seconda metà del Cinquecento. L'interno, a tre navate, contraddistinto dall'agile slancio delle ampie arcate e dalla preziosità delle cappelle gotiche e rinascimentali che arricchiscono le navate laterali, separate da quella centrale da due file di pilastri cilindrici, accoglie interessanti opere d'arte, come le sculture di Antonio e Giacomo Gagini e di Francesco Laurana e lo stupendo coro ligneo intagliato, databile al XVI secolo. Di grande pregio artistico si mostrano anche le statue allegoriche realizzate nel 1723 da Giacomo Serpotta e poste ad ornamento della navata mediana. Inoltre la chiesa può vantare ancora oggi un ricco Tesoro, composto da tele e arredi sacri, databili a un periodo che spazia dal XV al XIX secolo.

La facciata di S. Francesco d'Assisi e, in alto, un dettaglio del rosone.

LA CHIESA
DELLA MAGIONE

Antichissimo esempio di architettura normanna, la **chiesa della Magione** fu fondata nel 1191 per volontà di Matteo d'Ajello, che la destinò ai monaci cistercensi, anche se poi già nel 1197 fu assegnata dall'imperatore Enrico VI all'Ordine Teutonico, cui rimase fino alla fine del Quattrocento. Essa conserva ancora inalterata l'austera severità della sua originaria configurazione e ciò grazie soprattutto ai massicci interventi di restauro seguiti ai danneggiamenti causati dalle bombe della seconda guerra mondiale, restauri che tesero ad eliminare le sovrastrutture e i risultati dei rimaneggiamenti cui la chiesa era stata sottoposta nel corso dei secoli. Così la facciata offre ancora un prezioso susseguirsi di arcatelle cieche a doppia ghiera, le stesse arcatelle che si incrociano leggiadramente a sottolineare la struttura

La severa e lineare facciata della chiesa della Magione e una veduta dell'interno, contraddistinto da pareti estremamente spoglie.

dell'abside tripartita. Le tre navate in cui appare articolato l'interno sono scandite da colonne marmoree su cui poggiano slanciate arcate ogivali, mentre il pavimento, parzialmente rifatto, conserva ancora le lapidi sepolcrali di alcuni Cavalieri Teutonici. Estremamente interessanti si rivelano anche i resti del chiostro (XII secolo), alla sinistra della chiesa: il lato interamente restaurato mostra colonnine binate sormontate da raffinatissimi capitelli e culminanti in archi acuti a doppia ghiera, tutti elementi che paiono accreditare la diffusa ipotesi secondo la quale questo chiostro sarebbe stato costruito prima di quello di Monreale dalle stesse maestranze.

FRA PUPI E CANTASTORIE

Uno degli elementi più celebri ed originali del folclore siciliano è rappresentato senza dubbio da quelle marionette, i "pupi", ispirate alla tradizione cavalleresca arabo-normanna e dei Paladini di Francia, che da sempre costituiscono il fulcro di una diffusissima e interessante forma di rappresentazione teatrale di matrice popolare. Non è dunque un caso che proprio a Palermo sia sorto un grande **Museo Internazionale delle Marionette**, con sede in via Butera, dove, accanto ai più tipici pupi palermitani e trapanesi e ai classici burattini napoletani, si possono ammirare marionette di ogni parte del mondo, oltre a numerose ed elaborate attrezzature sceniche. La città vanta inoltre un **Teatro dell'Opera dei Pupi**, che si incarica di tramandare questa antica tradizione, fiancheggiato, in questo compito di grande valore culturale, dall'antica "istituzione" del **cantastorie**, che narra le gesta degli eroi e le vicende della Storia con l'ausilio di coloratissimi quadri figurati, forse per certi versi un po' ingenui, ma comunque pervasi da un suggestivo fascino naïf. Particolarmente bello quello, peraltro non molto antico (risale infatti agli anni sessanta del Novecento), appartenente all'Associazione "Figli d'Arte Cu-

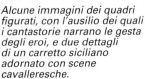

Alcune immagini dei quadri figurati, con l'ausilio dei quali i cantastorie narrano le gesta degli eroi, e due dettagli di un carretto siciliano adornato con scene cavalleresche.

Pagina a sinistra, un'immagine dei celebri pupi siciliani.

ticchio" e restaurato con paziente abilità dallo stesso Mimmo Cuticchio, discendente di una nota famiglia di "pupari".
Scene cavalleresche adornano anche i tipici carretti siciliani che ancora si incontrano per le vie di Palermo, come evidenziano i particolari del pregevole carro della collezione di Franco Bertolino, che nella sua parte posteriore ostenta un coloratissimo quadretto con un'animata scena di battaglia.

Una veduta della Cala, un'insenatura naturale che costituì il primitivo approdo palermitano, oggi riservata alle sole imbarcazioni da diporto.

LA CALA

Da sempre, il golfo di Palermo, riparato e accogliente, ha costituito una base insostituibile nell'ambito delle rotte commerciali e marittime che attraversano il Mediterraneo. La città ne ha tratto cospicui e duraturi benefici e, nonostante le successive modifiche e gli inevitabili ampliamenti cui le strutture portuali vennero nei secoli sottoposte, conserva e utilizza ancora, sia pur per le sole imbarcazioni da diporto, quello che fu il primitivo approdo palemitano e che rimase l'unico per la città fino al XVI secolo. Si tratta della **Cala**, piccola insenatura naturale un tempo ben più profonda dell'attuale, intorno alla quale sorse e si sviluppò il primo nucleo dell'antico insediamento.

IL PORTO

Alla metà del Cinquecento, l'approdo naturale da sempre offerto alla città dalla Cala cominciò a rivelarsi del tutto insufficiente per il volume di traffico marittimo che ormai aveva come riferimento lo scalo di Palermo. Così si optò per la realizzazione, più a nord, di un bacino delimitato da un grande molo, la cui costruzione, nel 1567, venne considerata uno dei risultati più grandiosi e innovativi raggiunti dall'ingegneria dell'epoca. Il nuovo **porto** era comunque inevitabilmente destinato a crescere e ad ampliarsi nei secoli, con il sorgere, alle sue spalle, dei grandi Cantieri Navali, delle infrastrutture per il deposito e la conservazione delle merci e di un ampio bacino di carenaggio, fino ad affermarsi in assoluto come il maggiore scalo dell'intera Sicilia. Agli inizi del Novecento, proprio Palermo ha rappresentato inoltre il principale punto di partenza del massiccio flusso migratorio che dall'isola si dirigeva verso l'America. In seguito, il porto venne parzialmente distrutto da terribili bombardamenti durante il secondo conflitto mondiale ed è stato quindi ricostruito e dotato di più moderne infrastrutture, cui si aggiunse, nel 1973, la nuova diga foranea, innalzata a difesa dei tre bacini attuali. Oggi chi accede al grande complesso portuale viene accolto dallo slancio di una simbolica statua bronzea realizzata dal palermitano Nino Geraci. Essa raffigura, con elegante plasticismo, una donna che, reggendo in una mano un rametto d'alloro, dà il benvenuto a chi giunge a Palermo dal mare.

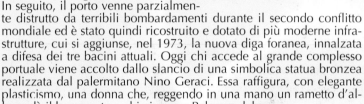

Un particolare della statua che domina l'accesso al porto di Palermo e un'immagine ripresa da una nave militare.

PIAZZA MARINA

La pittoresca area di **piazza Marina** come appare oggi è il risultato dell'intervento di G. B. F. Basile, che nel 1863 volle conferire un assetto ben definito alla spianata prodotta nei secoli dal progressivo interramento dell'insenatura della Cala. Per ingentilirne l'aspetto, fu realizzato lo stupendo Giardino Garibaldi, contraddistinto dalla presenza di grandi ficus e delimitato da un perimetro monumentalmente circoscritto. Sulla piazza si affacciano la chiesa di S. Maria dei Miracoli e le moli austere del Palazzo Denti Fatta e del Palazzo Notarbartolo Greco.

LA CHIESA DI S. MARIA DELLA CATENA

L'interno di S. Maria della Catena, scandito da colonne rinascimentali, e la facciata.

La chiesa di **S. Maria della Catena** ricorda nel nome quella catena con cui per secoli si è usato chiudere l'antico porto della città. Alta sull'elegante scalinata che conduce a un raffinato portico sotto cui si aprono i tre portali decorati da bassorilievi, essa spicca per l'originale stile gotico catalano delle sue linee architettoniche, cui non appaiono estranei, però, elementi e motivi tipicamente rinascimentali. Costruita nel Cinquecento, probabilmente su progetto di Matteo Carnelivari, la chiesa si articola in tre ariose navate che conducono al presbiterio, rialzato, e alle tre absidi.

PALAZZO CHIARAMONTE

Noto anche come Steri, dalla deformazione del latino "hosterium", "costruzione fortificata", **Palazzo Chiaramonte**, possente con la sua struttura quadrata raccolta intorno a un atrio centrale, fu edificato nel Trecento da quella che allora rappresentava la più potente famiglia feudale della Sicilia. Dopo l'estinzione dei Chiaramonte, il loro palazzo fu prima sede dei viceré e ospitò quindi, dal 1601, il tribunale del Sant'Uffizio. Dal 1799 al 1960 ebbe funzione di Palazzo di Giustizia, mentre attualmente vi ha sede il Rettorato.

PALAZZO ABATELLIS

Costruito alla fine del Quattrocento per Francesco Abatellis, allora prefetto di Palermo, su progetto di Matteo Carnelivari, **Palazzo Abatellis** si presenta come una massiccia ma elegante costruzione in tipico stile goti-

Una veduta del trecentesco Palazzo Chiaramonte.

In basso a sinistra, il Trionfo della Morte, *qui custodito, e, a destra, il cortile di Palazzo Abatellis ove sono conservate pregevoli opere d'arte.*

co-catalano, con palesi influssi rinascimentali. In seguito alle devastazioni causate dai bombardamenti della seconda guerra mondiale, tutto l'edificio è stato restaurato e prequattrocentesco, un tempo a Palazzo Sclafani, che offre una suggestiva rappresentazione allegorica della morte; il busto di Eleonora d'Aragona, opera rinascimentale di Francesco Laurana (1471); il Trittico Malvagna, del pittore fiammingo Jan Gossaert, databile al 1510; e soprattutto la stupenda Annunziata, celebre opera di Antonello da Messina.disposto, con l'occasione, ad accogliere in maniera adeguata la **Galleria Regionale della Sicilia**, prestigiosa raccolta di sculture e pitture databili ad un periodo compreso fra il Medioevo e la fine del Settecento. Si comincia dall'atrio e dal cortile, dove sono raccolte sculture che vanno dall'età preromanica al XVI secolo, e si prosegue attraverso le diver-

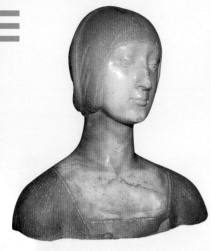

se sezioni disposte sui due piani. Fra le numerose opere di estremo valore qui conservate spiccano in particolare, per bellezza e celebrità, il Trionfo della Morte, affresco quattrocentesco, un tempo a Palazzo Sclafani, che offre una suggestiva rappresentazione allegorica della morte; il busto di Eleonora d'Aragona, opera rinascimentale di Francesco Laurana (1471); il Trittico Malvagna, del pittore fiammingo Jan Gossaert, databile al 1510; e soprattutto la stupenda Annunziata, celebre opera di Antonello da Messina.

Il busto di Eleonora d'Aragona, del Laurana, l'Annunziata, di Antonello da Messina, e una delle grandi sale della galleria.

LA CHIESA DI S. MARIA DEGLI ANGELI (LA GANCIA)

Cinquecentesco edificio sacro innalzato su una preesistente chiesa intitolata a S. Girolamo, **S. Maria degli Angeli** presenta all'esterno un grande portale gotico sormontato da un bassorilievo che nobilita la severa facciata a semplici conci squadrati. Nel XVII secolo l'interno subì un sostanziale rimaneggiamento che conferì alla grande e luminosa navata dal soffitto a lacunari l'armonioso aspetto che ancora oggi la contraddistingue.

Una delle principali attrattive della chiesa, comunque, rimane l'organo realizzato da Raffaele La Valle, che sovrasta la porta d'ingresso e che, risalendo al 1620, può vantare il titolo di più antico dell'intera Palermo. Pregevoli si presentano anche gli stucchi di Giacomo Serpotta nel presbiterio nonché i rilievi e gli elementi decorativi riconducibili ad Antonello Gagini e ai suoi allievi.

L'interno della chiesa di S. Maria degli Angeli e, in alto, l'organo secentesco che sormonta il portale d'ingresso.

LA CHIESA DI S. TERESA ALLA KALSA

Non lontano da Palazzo Abatellis, si incontra uno dei quartieri più antichi di Palermo, la **Kalsa**, che deve il proprio nome al termine che in arabo significa "eletto". Qui un tempo stabilì la propria residenza addirittura l'emiro e qui sorge oggi la grandiosa chiesa di **S. Teresa**, uno fra i più splendidi esempio di Barocco siciliano, che apre la propria elegante facciata sulla graziosa piazza della Kalsa. Edificata fra il 1686 e il 1706 ad opera di Giacomo Amato, la chiesa consta di una sola navata, ariosa e luminosissima, impreziosita dagli stucchi decorativi di Giuseppe e Procopio Serpotta, realizzati agli albori del XVIII secolo.

Un dettaglio della Sacra Famiglia che si ammira al di sopra del portale d'ingresso di S. Teresa alla Kalsa, un particolare della statua che occupa una nicchia a fianco del portale e la facciata barocca della chiesa.

Alcune immagini dei resti della chiesa di S. Maria dello Spasimo.

LA CHIESA DI S. MARIA DELLO SPASIMO

Non lontano dall'omonima piazza e dalla chiesa di S. Teresa alla Kalsa, si possono ammirare i resti, sempre estremamente suggestivi nonostante l'infierire inclemente dei secoli, della chiesa di **S. Maria dello Spasimo**, che fu edificata nel 1506 per essere in seguito trasformata in ospitale rifugio per poveri e mendicanti. Proprio per questo edificio di culto Raffaello Sanzio dipinse la Caduta di Gesù sotto la Croce, meglio conosciuta come Spasimo di Sicilia e oggi conservata al Museo del Prado, a Madrid, una tela che mantiene nel nome un evidente e duraturo legame con la chiesa. Oggi quel che resta dell'edificio sacro e delle sue strutture, di cui ancora si intuisce chiaramente l'originaria e severa grandiosità, è stato appositamente e oculatamente attrezzato per poter accogliere mostre e spettacoli di grande richiamo, che trovano in questo ambiente una cornice di incredibile suggestione, nonostante o forse proprio grazie alle evidenti vicissitudini cui l'intero edificio è andato soggetto e che ne hanno cancellato, fra l'altro, buona parte delle volte, trasformandolo in una sorta di monumentale teatro a cielo aperto.

Le esedre a nicchia che circondano il piazzale di Villa Giulia e l'originale statua che spicca al centro della fontana nello stesso piazzale; in basso, uno scorcio dell'Orto Botanico.

VILLA GIULIA

Non molto distante dal mare si incontra uno stupendo giardino all'italiana, nato da un disegno di Nicolò Palma (1778) a pianta quadrata con schema geometrico a raggi concentrici, ma ulteriormente ampliato nel 1866. Primo giardino pubblico di Palermo, **Villa Giulia** ricorda nel nome Giulia Guevara, moglie del viceré spagnolo, e si segnala per le eleganti esedre neoclassiche a nicchia che adornano il piazzale centrale, sviluppato intorno alla fontana, e per i busti di Palermitani illustri che punteggiano i viali.

L'ORTO BOTANICO

Voluto da Ferdinando III nel 1785 proprio accanto a Villa Giulia, quasi una sua naturale appendice, e sviluppatosi intorno all'edificio neoclassico del Ginnasio,

realizzato da Leone de Fourny e che oggi ospita l'erbario, l'**Orto Botanico** si estende su ben dieci ettari, in un armonico intrecciarsi di viali che fiancheggiano, fra l'altro, il Calidario e il Tepidario, creazioni architettoniche di Venanzio Marvuglia (1789).

Nei quattro settori botanicamente distinti crescono i più disparati esemplari di fiori, piante, alberi di ogni parte del mondo, alcuni già segnati da una vita secolare, altri contraddistinti da ragguardevoli dimensioni. Caratteristiche queste che rendono quello di Palermo uno dei più splendidi e interessanti giardini botanici non solo d'Europa, ma addirittura del mondo intero.

LA CHIESA DI S. GIOVANNI DEI LEBBROSI

Uno degli edifici più sempici e arcaici della Palermo normanna, **S. Giovanni dei Lebbrosi** fu fondata nel 1070 per volontà di Ruggero I, ma poté dirsi ultimata solo alla metà del secolo successivo. A quel punto, probabilmente, le era già stato affiancato un ospedale per il ricovero dei lebbrosi, di cui la chiesa conserva ancora il ricordo nel nome. Ingentilita da un ameno palmeto, essa presenta un piccolo portico e un campanile, che però costituisce un'aggiunta piuttosto tarda ad affiancare il prospetto principale. I rimaneggiamenti barocchi apportati all'edificio sono stati eliminati dai recenti restauri, che hanno restituito l'interno, a tre navate scandite da pilastri e sormontate da arcate ogivali, al primitivo, austero e spoglio splendore.

L'interno della chiesa, restituito all'originaria semplicità.

La chiesa di S. Giovanni dei Lebbrosi, con il campanile di costruzione più tarda, circondata da un rigoglioso boschetto di palme.

IL PONTE DELL'AMMIRAGLIO

Ultimo segno dei tempi in cui qui scorreva il fiume Oreto, poi deviato, il **Ponte dell'Ammiraglio**, a sette arcate di diverse altezze, fu voluto, come la Martorana, da Giorgio di Antiochia, ammiraglio di Ruggero II, che lo fece costruire nel XII secolo. La matrice normanna appare evidente non solo nella configurazione architettonica, ma anche nell'uso della pietra viva e nelle doppie ghiere che sottolineano le arcate tipicamente ad ogiva. Arcate che il progressivo interramento del ponte ha finito per ostruire parzialmente, addolcendo per certi versi l'acuta linea piramidale che ne contraddistingueva il profilo. Proprio nei pressi del Ponte dell'Ammiraglio le truppe garibaldine sbarcate sull'isola sostennero il primo scontro con quelle borboniche, nel maggio del 1860.

LA CUBA E LA CUBOLA

Fra gli edifici normanni della città, la **Cuba** costituisce un tipico esempio di architettura fatimida: a pianta rettangolare, con facciate scandite da arcate cieche, finestrelle e nicchie e muraglie rafforzate da avancorpi, essa fu aggregata dai Borboni a una caserma di cavalleria. Ma la sua funzione originaria nei propositi di Guglielmo II, che la fece edificare nel 1180 al centro del rigoglioso parco reale, fu

Due immagini del Ponte dell'Ammiraglio, oggi parzialmente interrato e curiosamente inserito nel moderno contesto urbanistico.

quella di padiglione di piacere, circondato da un laghetto artificiale. E un certo fascino essa dovette esercitarlo anche sul Boccaccio, che proprio qui ambientò una delle novelle del Decamerone. In seguito, la Cuba appartenne a diversi privati, per essere poi trasformata, nel corso del Cinquecento, in lazzaretto.

Ancora all'interno del grande parco reale e ancora per volontà di Guglielmo II, alla fine del XII secolo sorse anche la più piccola ma non meno massiccia **Cubola**, caratterizzata da un pronunciato bugnato, da profonde arcate e dalla presenza di una cupola emisferica rossa. Il suo nome deriva ancora dalla forma cubica dell'edificio, a cui uno stile normanno un po' meno raffinato consente comunque di non sfigurare accanto alle più "nobili" Cuba e Zisa.

La Cubola, culminante in una rossa cupoletta emisferica e, in alto, un plastico che ricostruisce la raffinatissima Cuba che in origine si specchiava in un laghetto.

LA ZISA

Non molto distante dalla Cuba, e in origine inserito all'interno dello stesso parco reale, si erge un altro, superbo esempio di architettura normanna di stile fatimida, la **Zisa**, con le sue muraglie fiancheggiate da torrette quadrate e addolcite da arcate cieche e da agili finestrelle.

Essa fu voluta nel XII secolo da Guglielmo I come dimora estiva e sorse sulla sponda di un laghetto, in quella che adesso può essere considerata la parte centrale della Conca d'Oro e che all'epoca rappresentava un luogo piacevolissimo, assolutamente perfetto per la villeggiatura dei regnanti. Terminata sotto Guglielmo II, la Zisa, che deriva il nome dal termine arabo "aziz", "splendido", si articolava in ambienti pubblici e privati. Questi ultimi comprendevano gli eleganti appartamenti reali, ai piani superiori, mentre l'ala di rappresentanza, introdotta da un ampio vestibolo, ruotava intorno alla vasta Sala della Fontana. Le raffinate strutture dell'edificio, le cui facciate appaiono come sobriamente ricamate, subirono significativi rimaneggiamenti per volontà dei diversi proprietari che succedettero alla dinastia normanna, fino a quando l'intera struttura venne definitivamente abbandonata. Il suo recente acquisto da parte della Regione Sicilia sembra però aver inaugurato una nuova era per la singolare costruzione, sottoposta ad accurati restauri e restituita all'originario splendore.

La facciata principale della Zisa e, in alto, un dettaglio dello stemma che sovrasta il portale d'ingresso.

Il convento dei Cappuccini e un particolare delle sue catacombe.

IL CONVENTO DEI CAPPUCCINI

Là dove fin dall'epoca normanna si innalzava un importante edificio di culto, nel 1621 furono edificati la **chiesa** e il **convento dei Cappuccini**, che, nonostante i rimaneggiamenti subiti nel 1934, conservano ancora interessanti opere settecentesche, come gli altari in legno e gli imponenti monumenti funebri realizzati da Ignazio Marabitti, oltre a un pregevole Crocifisso ligneo riconducibile alla fine del Medioevo.

Ma la fama di questo suggestivo complesso è legata in realtà soprattutto alle sue catacombe, che dagli inizi del Seicento e fino al 1881 furono scelte come luogo di riposo eterno dai cittadini più in vista di Palermo. Nei loro corridoi, riservati rispettivamente ad ecclesiastici, donne e "professionisti", si contano ancora oggi migliaia di corpi, i più scheletriti, alcuni mummificati, pochi imbalsamati, tutti perfettamente vestiti, molti in piedi, altri seduti, altri ancora deposti in urne e bare. Un colpo d'occhio impressionante, una visione d'insieme macabra e solenne che testimonia la forza di un'usanza a lungo radicata nelle tradizioni dei ceti palermitani più facoltosi. Uno spettacolo cui non rimase insensibile neppure Ippolito Pindemonte, che proprio a queste catacombe dedicò alcuni versi dei suoi Sepolcri.

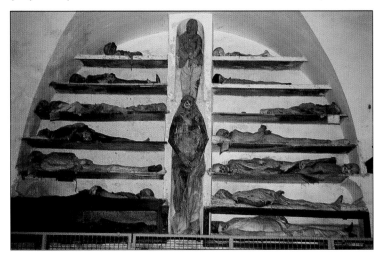

LA CHIESA
DI S. MARIA DELLA PIETÀ

Troneggiante sulla prospettiva di via Torre-muzza, la stupenda chiesa di **S. Maria del-la Pietà**, dal ricco e raffinato profilo archi-tettonico, fu innalzata fra il 1678 e il 1684 ad opera di Giacomo Amato, che nel rea-lizzarla seppe trarre palese e proficua ispi-razione dal primo Barocco romano. La facciata, a due ordini sovrapposti di slan-ciate colonne e sovraccarica di elementi decorativi di diversa valenza e dimensione (nicchie, sculture, occhi, un elaborato ro-sone), mostra infatti tutte le più peculiari caratteristiche della più tipica opulenza barocca. Anche l'interno, fastoso e assai raffinato, si mostra espressione pienamente compiuta di questa tendenza stilistica. L'unica navata risplende infatti degli arti-stici stucchi di Giuseppe e Procopio 'Ser-potta, riconducibili agli inizi del XVIII se-colo. E bellissimi si rivelano anche i grandi affreschi che impreziosiscono non solo la navata, ma anche il presbiterio e il sotto-coro, contribuendo in maniera determi-nante a rendere inconfondibile il fascino del ricco apparato decorativo che contrad-distingue con estrema ricchezza ogni an-golo della chiesa.

Due particolari delle statue che ornano la facciata di S. Maria della Pietà, che si erge in tutto il suo splendore barocco (in basso a sinistra), e l'elaborata controfacciata.

La volta della navata, fastosamente affrescata, e l'interno
della chiesa, ricchissimo di affreschi e stucchi.

Un'immagine del patrimonio
boschivo del Parco
della Favorita.

IL PARCO
DELLA FAVORITA

Fra Palermo e Mondello, ai piedi della massiccia mole di Monte Pellegrino, si estende il **Parco
della Favorita**, vasta area di verde pubblico voluta nel 1799 dal
re Ferdinando III di Borbone,
che dopo l'ingresso delle truppe
napoleoniche a Napoli si era visto costretto a prender stabile dimora proprio a Palermo. Nelle
intenzioni del re il parco doveva
costituire una vasta riserva di
caccia e di pesca, nonché il luogo deputato agli esperimenti di
agricoltura che costituivano una
delle grandi passioni del sovrano. Oggi vi si accede dalla Porta
Leoni ed i suoi quattrocento ettari appaiono solcati da due arterie principali, il viale di Diana
e il viale di Ercole, che termina
in corrispondenza dell'omonima
fontana, dominata da una statua
che è la copia perfetta dell'Ercole Farnese esposto al Museo Na-
zionale di Napoli. Il Parco della
Favorita si segnala inoltre per i
moderni impianti e le attrezzature sportive che in tempi recenti
vi hanno trovato sede.

L'inconfondibile Palazzina Cinese, con la sua inconsueta commistione di stili e l'evidente bizzarria dell'insieme, e il busto dell'etnografo Pitré, fondatore dell'omonimo museo.

LA PALAZZINA CINESE

Caratterizzata da un'inconsueta commistione di stili architettonici, la singolare **Palazzina Cinese** fu progettata e costruita nel 1799 da Venanzio Marvuglia su commissione del re Ferdinando III di Borbone all'interno del Parco della Favorita. Il sovrano, peraltro, avrebbe avuto modo di soggiornare lungamente in questa originale dimora, insieme alla consorte Maria Carolina, durante il periodo della sua residenza forzata in Sicilia, in concomitanza con l'occupazione di Napoli da parte delle truppe napoleoniche. Ma fra gli ospiti illustri e ammirati di questo edificio, che coniuga agevolmente e con gradevoli risultati il neoclassicismo delle colonne del secondo piano e il sapore medievale degli archi goticheggianti del piano terra, senza trascurare una palese e sistematica ricerca delle bizzarrie più peculiari degli elementi e dei motivi cinesi, tipica del periodo e da cui deriva il nome che da sempre contraddistingue la Palazzina, è d'obbligo ricordare anche l'ammiraglio Nelson e Lady Hamilton. Nell'insieme assolutamente inconsueto della costruzione, dall'aspetto vagamente esotico, spiccano in particolare le due torrette laterali con scale elicoidali che danno accesso alla terrazza superiore, opera originale ed elegante di Giuseppe Patricolo, da sempre particolarmente apprezzata come luogo di piacevole ristoro. Attualmente la Palazzina ospita una collezione di stampe e sete cinesi e un'esposizione di dipinti del Settecento.

GIUSEPPE PITRE

IL MUSEO ETNOGRAFICO PITRÉ

Sorto dalla singolare raccolta del celebre etnografo Giuseppe Pitré, appassionato studioso di folclore e costumi tradizionali siciliani in genere e palermitani in particolare, il **Museo Etnografico** trovò degna sede, nel 1909, nei locali attigui alla Palazzina Cinese un tempo riservati alla servitù della corte borbonica, dove venne quindi ampliato e riorganizzato con estrema puntualità da Giuseppe Cocchiara, che fra il 1934 e il 1935 ne curò anche il fondamentale corredo documentario. Oggi questa istituzione, una delle più prestigiose dell'intera Europa, offre, con l'ausilio anche di ricostruzioni di interi ambienti (interessante l'interno di casa borghese del XVII secolo), un'articolata panoramica sui diversi momenti della vita siciliana, sulle attività quotidiane, sulle tradizioni più tipiche dell'isola, sugli usi più diffusi e caratteristici: dalla filatura e dalla tessitura alla caccia e alla pesca, dall'agricoltura alla produzione di ceramiche e di oggetti artigianali in genere, semplici eppure raffinatissimi, dagli strumenti musicali alle carrozze e ai caratteristici carretti, fino a raggiungere il culmine con gli artistici presepi – fra cui splendido quello trapanese della fine del XVIII secolo, attribuito a Giovanni Matera –, la collezione di ex voto, che si affianca a quella di oggetti destinati ad usi magici, come ad esempio scacciare il malocchio, e la presenza di un intero Teatro dei Pupi, perfettamente funzionante.

Alcuni particolari delle sale del Museo Etnografico Pitré e l'ingresso del museo.

*Una veduta aerea dell'incantevole baia in cui si adagia
la verdissima cittadina di Mondello e un dettaglio della "Sirenetta"
che troneggia sulla fontana della piazza principale.*

MONDELLO

A una decina di chilometri da Palermo, oltre il Parco della Favorita,
si incontra **Mondello**, la spiaggia prediletta dai Palermitani, adagiata
in un'amena insenatura compresa fra il Monte Pellegrino e il
Monte Gallo. All'estremità settentrionale di questa baia, protetto
dalle torri d'avvistamento innalzate nel Quattrocento e che ancora oggi vi si possono ammirare, sorse in antico un piccolo
villaggio di pescatori, che poteva contare su un'attiva tonnara
ma anche su un entroterra estremamente paludoso e malsano.
L'opera di bonifica condotta fra la fine del XIX e l'inizio del
XX secolo, seguita dal sorgere della piacevolissima "città giardino", cambiò radicalmente le sorti
della zona, che in breve divenne una località balneare d'élite,
costellata di elegantissimi inse-
diamenti nel più classico clima
della "Belle Epoque". Vero simbo-
lo di questa epoca d'oro rimane ancora oggi il caratteristico Kursaal a mare,
l'inconfondibile stabilimento che pare
proiettarsi nell'azzurro della baia. Solo
all'indomani della seconda guerra mondiale, con il progressivo sviluppo di un turismo
sempre più esteso alle masse, questa peculiare
caratteristica di luogo di soggiorno esclusivo ed
elitario andò piano piano sfumando, pur senza
che ne risultasse compromessa l'estrema bellezza
dei luoghi, salvaguardati da sempre con il rigoro-
so ricorso ad un'espansione edilizia condotta con
estrema oculatezza e misura. Così, ancora oggi

*L'antico porto peschereccio, immerso in una stupenda cornice
naturale, e l'ingresso del celebre stabilimento balneare*
Kursaal a mare.

che costituisce ormai una sorta di quartiere residenziale della vicina
città, Mondello rappresenta comunque una località turistica di primo piano, la cui fama ha ampiamente valicato i confini nazionali,
grazie alla presenza di moderne infrastrutture ma anche ad una cornice naturale di indubbia suggestione. Inoltre, le pendici rocciose di
Monte Gallo e di Monte Pellegrino riservano un'ulteriore, interessante attrattiva: in alcune grotte, come quelle dell'Addaura, già in-
credibilmente affascinanti dal punto di vista speleologico, sono stati
infatti rinvenuti, e possono essere ammirati, numerosi graffiti risalenti al Paleolitico e in cui gli uomini della Preistoria vollero rappresen-
tare animali e figure umane, nonché vari reperti oggi conservati al
Museo Archeologico di Palermo.

IL SANTUARIO DI S. ROSALIA

Alla metà del XII secolo una giovane donna, che la tradizione vuole appartenente alla dinastia regnante dei Normanni – secondo alcune fonti addirittura nipote diretta di Guglielmo II –, si ritirò in penitenza e in preghiera in una grotta su Monte Pellegrino, il promontorio che domina Palermo e dalla cui sommità si gode uno stupendo panorama dell'azzurro mare del golfo, che l'aspra altura chiude ad occidente. La giovane si chiamava Rosalia e dopo la morte, avvenuta probabilmente nel 1166, ascese alla gloria degli altari sulla spinta di una sempre più diffusa e accorata devozione popolare, che la portò ad essere proclamata ben presto patrona della città. Al suo miracoloso intervento si ascrisse, fra l'altro, anche la fine di una terribile epidemia di peste che flagellò Palermo nel XVII secolo e che cessò solo in seguito al ritrovamento delle ossa della santa, il 15 luglio 1624, avvenuto dopo che la stessa Rosalia si sarebbe mostrata in una miracolosa visione, per indicare il luogo ove esse erano sepolte. Per ringraziamento, in quello stesso anno, proprio intorno alla grotta in cui S. Rosalia era stata solita vivere in solitudine e raccogliersi in preghiera, fu eretto il grande **santuario**, corredato di un annesso convento, in sobrio stile barocco, che da allora divenne meta di un continuo pellegrinaggio. Le acque che ancora oggi stillano dalle pareti della grotta sono ritenute da sempre miracolose. E di grande devozione sono fatte oggetto anche le espressive statue che ritraggono la santa:

una campeggia in una nicchia bianca che spicca sulla facciata di un color ocra acceso, un'altra accoglie i fedeli proprio di fronte all'ingresso del santuario, un'altra ancora, ben più celebre, è adagiata all'interno della grotta, racchiusa in un elegante altare sormontato da un sontuoso baldacchino, e si segnala per lo splendido mantello d'oro che avvolge il corpo marmoreo della santa, dono di Carlo III di Borbone. Ogni anno, il 4 di settembre, un'affollata processione si snoda per le erte stradine che si inerpicano su per le pendici di Monte Pellegrino, lungo uno stupendo itinerario ricco di punti panoramici di incomparabile suggestione, per raggiungere il santuario e la grotta e rendere il dovuto omaggio alla venerata immagine della santa palermitana.

Una statua di S. Rosalia, il castello Utveggio e due particolari della grotta in cui la santa si ritirò in solitaria penitenza.

Pagina a destra, il santuario arroccato sulle pendici di Monte Pellegrino.

MONREALE

Non lontano da Palermo, alle pendici di Monte Caputo, su una collinetta da cui lo sguardo spazia verso le amene bellezze della Conca d'Oro, là dove un tempo si estendeva una rigogliosa e ricchissima riserva di caccia, prediletta da signori arabi e regnanti normanni, sorge l'abitato di **Monreale**, il cui nome conserva ancora memoria evidente dell'antica appartenenza di questi luoghi al patrimonio personale dei sovrani di Sicilia. Oggi l'antico villaggio arabo che dominava la valle dell'Oreto dall'alto del suo panoramico terrazzo, a 310 m d'altezza, si è trasformato in una ridente cittadina circondata da agrumeti e frutteti, dopo essersi progressivamente sviluppato, nel corso dei secoli, intorno alla sua monumentale cattedrale. Celebre per i vini pregiati e per l'eccellente olio, nonché per aver dato i natali, nel 1603, a Pietro Novelli, apprezzato pittore destinato a passare alla storia appunto come il Monrealese, questa amena località vanta un ricco e pregevole artigianato, che spazia in settori molto diversi, dalle cesterie alle calzature, su su fino ai mobili. Ma la principale risorsa economica della cittadina, attualmente, rimane senza dubbio il turismo che ha ormai pienamente scoperto e valorizzato i suoi stupendi tesori romanici e normanni, gelosamente protetti dall'affollata corona delle piccole e antiche case monrealesi.

Veduta aerea del centro di Monreale, dove spiccano il severo ed elegante profilo del Duomo, con il raffinato portico laterale, il chiostro, le mura superstiti dell'antico refettorio e il nuovo convento.

La facciata della cattedrale, con le due torri quadrangolari e il portico settecentesco.

In basso, un dettaglio della fontana che adorna il centro di piazza Vittorio Emanuele, sul fianco della cattedrale.

LA CATTEDRALE

L'abitato di Monreale si sviluppò con il tempo e si stringe ancora oggi intorno alla piazza della **cattedrale**, edificio romanico dall'aspetto austero ed essenziale. La sua costruzione fu voluta dal re normanno Guglielmo II il Buono, che nel 1166, appena dodicenne, era succeduto al padre, Guglielmo I il Malo, sotto la reggenza della madre, Margherita di Navarra. Secondo una diffusa tradizione, la nuova chiesa fu edificata nel luogo in cui al re giovinetto, che si riposava durante una battuta di caccia, sarebbe apparsa in sogno la Vergine, per indicargli dove Guglielmo I aveva sepolto i propri inestimabili tesori, utilizzati in seguito proprio per la costruzione dell'edificio sacro. In realtà, più probabilmente Guglielmo II percepì fortissimo il fascino della magnificenza e della grandiosità di

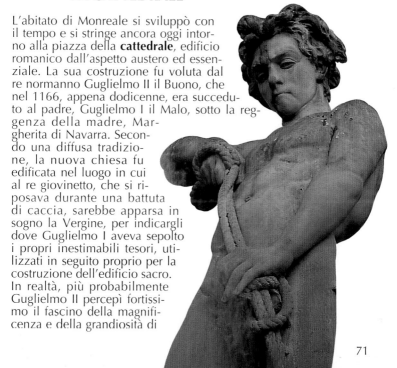

opere e architetture legate al nome del suo predecessore Ruggero II – in particolare la Cappella Palatina e il Duomo di Cefalù (1130-1131) – e accarezzò ben presto, e con entusiasmo, il sogno di costruire una cattedrale tanto magnifica da riuscire ad oscurare gli splendori palermitani. Così, nel 1172, appena uscito dalla tutela materna, egli non esitò a far intraprendere i lavori per l'edificazione del nuovo complesso, che sorse forse nell'area di un preesistente edificio monastico e che fu destinato a comprendere, oltre alla chiesa, anche un convento e un sontuoso palazzo reale. Tali lavori dovettero procedere con una certa alacrità se già nella primavera del 1176 furono fatti giungere a Monreale, provenienti dalla potente abbazia della Trinità di Cava dei Tirreni, cento monaci benedettini, guidati dall'abate Teobaldo. Nello stesso anno l'erigenda chiesa venne intitolata a Maria SS. Assunta e dotata, per volontà del re ma con l'approvazione di papa Alessandro III, di numerose terre e di importanti privilegi. Nel 1183 un altro pontefice, Lucio III, concesse alla cattedrale che si andava costruendo il titolo di Metropolitana e all'abate del monastero quello di arcivescovo. Di certo, quando Guglielmo II morì, nel 1189, la chiesa da lui così fortemente voluta, splendida sintesi di elementi bizantini, arabi e normanni, poteva dirsi ormai quasi completamente ultimata e già vantava lo stupendo portale maggiore in bronzo, opera insigne di Bonanno Pisano giunta in nave direttamente da Pisa, e quello laterale, altrettanto pregevole, realizzato da Barisano da Trani. Il primo appare composto da ben 42 formelle bronzee su cui, a rilievo, sono impressi episodi tratti dal Vecchio e dal Nuovo Testamento, illustrati da scritte in volgare. Il se-

Una veduta dell'esterno dell'abside della cattedrale, inserita in un serrato tessuto urbanistico.

L'elaborato soffitto ligneo che, benchè quasi interamente rifatto dopo il disastroso incendio del 1811, mantiene un impianto decorativo perfettamente riconducibile alle più diffuse tipologie ornamentali di matrice araba.

Alle pagine seguenti, una suggestiva immagine dell'interno della navata centrale rilucente di mosaici, con il breve tramezzo che la separa dallo splendido transetto. Sullo sfondo, il catino absidale spicca per la bellezza delle gigantesche figure realizzate a mosaico.

condo, a due battenti come il precedente, si segnala per le figure del Salvatore e di vari Santi che troneggiano nelle formelle. Quanto agli interni, benché privi ancora dei pavimenti delle navate e della decorazione marmorea della fascia inferiore delle pareti, essi offrivano già, nel loro insieme, uno stupendo colpo d'occhio, rispondendo appieno a quell'ideale di magnificenza che Guglielmo II aveva perseguito.

All'esterno, l'assenza della cupola appariva bilanciata dalla presenza delle due torri quadrangolari tipiche dell'architettura normanna, quella di sinistra all'epoca non ancora terminata.

Proprio la morte di Guglielmo II, tuttavia, seguita nell'immediato da una serie di complesse e travagliate vicende che avrebbero determinato ben presto la fine della dinastia normanna, provocò un deciso rallentamento nelle opere relative alla fabbrica della cattedrale, rallentamento che andò a coincidere anche con un momento non troppo felice per le sorti dell'annesso convento benedettino.

Così, nonostante lo stato avanzato dei lavori, solo nel 1267 la chiesa poté essere consacrata dal vescovo di Albano, Rodolfo, in rappresentanza di papa Clemente IV, che la dedicò definitivamente alla Natività della Vergine. A quell'epoca, essa custodiva già le spoglie

mortali di Guglielmo II, dei suoi genitori e dei suoi fratelli, Ruggero e Arrigo. In seguito vi sarebbero state accolte anche alcune reliquie di Luigi IX il Santo, il re di Francia morto a Tunisi: in un primo tempo anche le sue spoglie riposarono nel Duomo di Monreale, ma quando si decise di riportarle in Francia, qui rimasero solo il suo cuore e le sue viscere, conservati in un'urna sotto l'altare. Eppure, alla fine del XIII secolo la splendida cattedrale di Monreale non poteva dirsi ancora del tutto ultimata, se è vero che sarebbe stato necessario attendere la fine del Quattrocento perché essa potesse disporre di una sacrestia, e addirittura il secolo successivo per i pavimenti delle navate – realizzati, con il marmo bianco proveniente dalle cave di Taormina unito a dischi di porfido e granito, dal palermitano Baldassarre Massa alla metà del Cinquecento – e per quello, davvero splendido, del transetto sinistro. Del 1547 è il portico laterale, opera di Gian

IMISIT.DONUS.SO   POR EM   IN ADAM.
Z.TULIT.EVA M.
DE.COST.IS.EUS.

VER·SVGGESTIOE·SERPENTIS·TVLIT·DE·FRVCTV·
COMEDIT·DEDIT·   VIRO·SVO·

78

Pagina a fianco, La creazione di Eva *dalla costola di Adamo e* Il peccato originale.

Eva tentata dal serpente *che la induce a disobbedire al comando divino.*

Domenico e Fazio Gagini, che conferirono così un tocco di raffinatezza rinascimentale alla severità degli esterni. Addirittura al 1595 risale la Cappella di S. Castrense, che precede di quasi un secolo l'opulenta Cappella del Crocifisso, splendido esempio di elaborata arte barocca. La prima, intitolata al santo protettore di Monreale, fu voluta dall'arcivescovo Lodovico II Torres, che desiderava anche esservi sepolto. Ma il destino dispose diversamente. Il prelato, infatti, si spense a Roma nel 1609 e le sue spoglie riposano ancora in questa città, nella cripta di S. Pancrazio. La sua cappella monrealese, di matrice elegantemente rinascimentale, sobriamente decorata e culminante in una cupola sorretta da un alto tamburo, ospita oggi solo una statua marmorea del committente, mentre sotto l'altare in marmo, sovrastato da uno slanciato baldacchino, sono custodite le reliquie di S. Castrense, che la tradizione vuole donate a Guglielmo II dall'arcivescovo di Capua. Alla realizzazione della seconda cappella, quella del Crocifisso, tutta rilucente di marmi policromi, sovrintese invece, a partire dal 1690, l'architetto gesuita Angelo Italia da Licata, anche se il primitivo progetto appare riconducibile al frate cappuccino Giovanni da Monreale. A consacrarla, il 14 settembre 1692, fu lo stesso committente, l'arcivescovo spagnolo Giovanni Roano. E oggi, proprio nella sacrestia della Cappella del Crocifisso si conserva il ricchissimo Tesoro della Basilica. Nel frattempo, la chiesa aveva iniziato a mostrare i primi segni di cedimento all'usura del tempo: inevitabili, quindi, si erano succeduti in più riprese i restauri, concernenti soprattutto il soffitto e i mosaici, cui si erano affiancati il rifacimento del coro, la sostituzione degli altari e l'aggiunta, alla sommità della torre alla sinistra della facciata, di un piccolo campanile merlato. Notevoli modifiche avevano interessato anche il monastero, stretto intorno all'elegante chiostro e in parte convertito, nel corso del Cinquecento, in residenza arcivescovile, e il palazzo reale, trasformato nel 1589 in seminario.

Il 24 dicembre 1770 l'antico portico della facciata, scandito da quattro colonne di marmo a capitello corinzio delimitanti tre archi a sesto acuto, benché più volte restaurato, crollò rovinosamente. Al suo posto si eresse un nuovo portico – quello che ancora oggi si ammira –, realizzato dallo scultore palermitano Ignazio Marabitti su disegno del canonico Antonio Romano. Per quanto agile ed elegante, esso appare comunque un po' in contrasto con la decorazione ad arcate intrecciate di calcare e lava che incornicia, nella parte superiore della facciata, la finestra ad archi acuti, richiamando l'analoga ornamentazione della parte absidale.

Nel 1807 fu la volta della torre di destra che, colpita da un fulmine, perse per sempre la sua terminazione a cuspide. Pochi anni dopo,

CESSATO · DILVVIO · NOE · EXTRAHI · FECIT
BESTIAS · AB · ARCA ·

HIC · OSTENDIT · CAM · VERENDA · PATR · EBRII · FRIBVS ·

FILII · NOE · HEDIFICAN TES · TRICOFM · SESTLIN
QVE · EOR · VOCATV · E LOCVILLV · BABEL

l'11 novembre 1811, un disastroso incendio, imputabile con ogni probabilità alla distrazione di un chierichetto, devastò la chiesa, distruggendone il soffitto, gli organi, il coro e danneggiando gravemente sepolcri e mosaici. L'impressione destata dal triste episodio fu enorme e portò a intraprendere sollecitamente l'opera di ricostruzione, ma l'ampiezza delle devastazioni era tale che essa apparve da subito inevitabilmente destinata a protrarsi negli anni. Oggi, comunque, la cattedrale, elevata nel 1926 al rango di Basilica Minore e sottoposta a continui interventi di restauro conservativo, può nuovamente offrirsi al visitatore in tutto il suo originario splendore. Di questo splendore, certo, gli interni, a tre navate cui corrispondono altrettante absidi, sono in larga parte tributari ai suggestivi e luminosi cicli di **mosaici** che rappresentano forse la peculiarità più celebre di questa chiesa: si tratta di 130 quadri, contornati da una miriade di figure, per un totale di circa 10.000 mq di superficie musiva (una delle più estese al mondo all'interno di una chiesa), che tappezzano quasi interamente le pareti dell'edificio.

Pagina a fianco, Noè fa uscire gli animali dall'arca *alla fine del diluvio,* Noè ebbro *dopo la vendemmia* e, La costruzione della torre di Babele.

In basso, La guarigione del lebbroso.

IHS SVP MARE AMBVLAT ET PETR... ALLEVAT.

IHS FILAM IAIRI PRINCIPIS SYN... DE DOMO RES SVSCITAT.

...INE TEPLO VEDETE OVES Z BOVES ZMSAS... ...RIOR̄ EVTIT.

Il sacrificio di Isacco *e* La trasfigurazione.

Pagina a sinistra, Gesù cammina sulle acque e salva Pietro,
La resurrezione della figlia di Iair a Cafarnao *e* Gesù
scaccia i mercanti dal Tempio.

Alla definizione del progetto iconografico, con la precisa scelta dei soggetti, partecipò quasi sicuramente lo stesso Guglielmo II, supportato dall'esperta consulenza dei monaci, nonché dall'arcidiacono inglese Walter of the Mill (Gualtiero Offamilio) e dal vicecancelliere Matteo d'Ajello. Lo svolgersi dei soggetti dei mosaici presenta, nel suo complesso, la disposizione gerarchica tipica dell'arte bizantina, per cui le parti simbolicamente più importanti della chiesa erano chiamate ad ospitare le figure e gli episodi più significativi per la fede e per la dottrina cristiane. Si pensi per esempio all'abside maggiore, in cui rifulge la gigantesca figura del Cristo Pantokrator (Onnipotente), circondata da una corona di esseri semidivini (Arcangeli con due ali, Cherubini e Serafini con sei, Tetramorfi contraddistinti da quattro teste), Profeti, Apostoli e continuatori dell'opera cristiana (Vescovi e Santi), figura che a propria volta sovrasta quella della Vergine Immacolata. Le due absidiole laterali sono dedicate agli apostoli Pietro e Paolo e alle loro storie, mentre tutto il transetto e parte delle navatelle destra e sinistra sono consacrati all'intero ciclo cristologico, dall'annuncio della nascita del Redentore fino alla Pentecoste. Così si susseguono, quadro dopo quadro, come in un ininterrotto racconto, tutti i principali episodi che scandirono l'esistenza terrena di Gesù: il battesimo, le tentazioni, il giudizio di Pilato, l'ascesa al Calvario, la morte, la resurrezione e naturalmente i miracoli più significativi, dalla moltiplicazione dei pani e dei pesci alla guarigione del servo del centurione, al risanamento della donna curva. Quanto alla navata centrale, come luogo che più tende ad allon-

Il bacio di Giuda traditore. *La concitazione della scena è resa con sapiente maestria nel soffocante affollarsi dei soldati.*

IESVS. CHRISTVS — DVCTVS. AD CRVCIS. PASIONEM. — CRVCIFIXIO. IESV CHRIS — INRI

Una suggestiva veduta della Crocifissione, *dove le espressioni dei personaggi appaiono particolarmente intense.*

Alle pagine seguenti, L'ascensione di Gesù al cielo, *alla presenza degli Apostoli e della Vergine Maria, fiancheggiata da due Angeli.*

tanarsi dal cuore simbolico della cattedrale, essa viene riservata agli episodi sempre importanti per la storia della Chiesa ma ritenuti per certi versi meno significativi. Sono le storie tratte dall'Antico Testamento, che occupano per intero due fasce, a partire dalla parete di destra della navata e dalla sua fascia superiore. Qui si inizia con la creazione del mondo, si prosegue con le vicende di Adamo ed Eva nel Paradiso Terrestre e con la successiva cacciata, si continua con Noè, Abramo, Loth e con la distruzione di Sodoma, per terminare con la scena della lotta fra Giacobbe e l'Angelo. Il tutto appare circondato e impreziosito da una miriade di figure complementari, particolarmente numerose nella zona abside-presbiterio, ma sostanzialmente disseminate in tutta la chiesa, a volte rappresentate nella loro interezza, a volte come semplici busti compresi in eleganti medaglioni, che si ritrovano soprattutto nei sottarchi: dalle molte raffigurazioni del Cristo agli Apostoli, dagli Angeli ai Santi, dai Martiri ai Dottori della Chiesa, dai Profeti agli Eremiti, fino allo stesso Guglielmo II, che compare effigiato due volte, una, al di sopra del soglio reale, mentre riceve la corona da Gesù Cristo, l'altra, proprio di fronte, nell'atto di offrire la sua cattedrale alla Vergine. A tutto questo si aggiunge un vero e proprio tessuto musivo – fatto di serti floreali e di composizioni geometriche, di strisce colorate e dell'immancabile acanto –, che accompagna e scandisce, a mo' di fregio, come elegante decorazione, tutte le diverse composizioni. Quanto al luminosissimo sfondo interamente dorato, esso dona all'articolato

insieme una lucentezza e un gioco di riflessi di una suggestione davvero incomparabile. Per quel che riguarda gli autori di un capolavoro tanto splendido, ben poco è dato sapere, anche se la questione è ormai annosa e da sempre assai dibattuta. Si è concordi nell'affermare che essi devono aver tratto ispirazione da un retroterra bizantino cui però può non essere rimasto estraneo un preciso influsso romanico. Difficile, comunque, stabilire se alla realizzazione dei mosaici fossero preposte maestranze locali o non piuttosto orientali, o magari veneziane. Quasi sicuramente essi furono terminati alla fine del XII o, secondo altre ipotesi, entro la prima metà del XIII secolo. E anche se nel loro complesso non denotano tanto un particolare slancio creativo quanto piuttosto una notevole capacità imitativa ed esecutiva, il loro immenso valore artistico resta indubbio. Tanto che nei secoli, per contrastare il logorio e i danni del tempo e degli umani eventi, si è fatto ricorso a numerosissimi interventi di restauro (non tutti, in verità, felici) per conservare intatta la loro luminosa ma fragile bellezza.

Le immagini di S. Dominica *e di* S. Caterina.

IL CHIOSTRO

Dell'antico complesso conven-
tuale di Monreale sopravvivono
oggi, accanto alla cattedrale, il
palazzo reale, trasformato in seminario, le mura del refettorio e,
soprattutto, lo splendido **chiostro**, che confina con il fianco
meridionale della basilica. Eretto anch'esso per volontà di Guglielmo II nella seconda metà
del XII secolo, questo stupendo
monumento di scultura romani-
ca descrive un quadrato perfetto, di 47 m di lato, scandito da
228 colonnine binate – solo negli angoli si formano gruppi di
quattro – che sorreggono, con i
loro capitelli, agili archi a sesto
acuto. Elegante peculiarità di tali colonne è l'essere decorate
tutte con motivi e materiali diversi, dall'oro ai mosaici, dalle
pietre preziose alla lava. Di lava
e calcare appare incrostata anche la pregevole fascia ornamentale che si snoda al di sopra
degli archi. Nell'intradosso dei
quali scorre, del tutto avulsa
dalla struttura, una cordonatura
che si interrompe all'altezza dei
capitelli. Fra le ipotesi concernenti la sua ragion d'essere, pare prevalere quella che la ritiene
un punto d'appoggio per telai di
legno che, chiudendo la parte
rettangolare delle arcate, erano
chiamati a proteggere il passeggio

*Alcune vedute del chiostro
che sottolineano l'estrema
armonia di questo
capolavoro romanico,
scandito da una teoria
di colonnine binate.*

Alcuni particolari che mettono in risalto la varietà decorativa che caratterizza il chiostro.

dei monaci dalla calura e dalle intemperie. Quanto ai capitelli, essi appaiono tutti mirabilmente scolpiti, quasi cesellati data la finezza dell'intaglio, con una galleria di soggetti tanto ampia – ben più vasta di quella dei tradizionali "bestiari" medievali – da suscitare perplessità sulla sua corretta interpretazione: figure bibliche, scene pagane, animali, allegorie dei mesi, classicheggianti foglie di acanto, puttini, elementi simbolici e l'immancabile Guglielmo II, raffigurato nell'atto di offrire la basilica alla Vergine. Degli abili artefici si sa ben poco: solo di uno di essi, Romanus, figlio di Costantino, marmorario, ci è stato conservato il nome, inciso su un capitello del lato nord.

All'angolo sud-ovest del chiostro, invece, un piccolo recinto quadrato di tre arcate per lato racchiude il **chiostrino**, poetica e suggestiva appendice interna, al centro del quale, da una colonna dal fusto a zig-zag, quasi una palma stilizzata, zampilla l'acqua che alimenta la piccola vasca sottostante. Si dice che lo stesso Guglielmo II avesse provveduto a far giungere l'acqua fino al chiostro, regalando così un tocco di magia orientaleggiante a questo autentico gioiello dell'arte siciliana.

LA CUCINA SICILIANA

L a grande varietà delle ricet-
te della cucina siciliana è
dovuta a due ragioni precise: una geografica e l'altra storica. Quella geografica è rappre-
sentata dalla difficoltà di comunica-
zione che esisteva tra una zona e l'altra della Sicilia. Di conseguenza in
cucina venivano usati esclusivamente
i prodotti locali. La ragione storica invece rimanda alle innumerevoli domi-
nazioni di civiltà eterogenee che hanno caratte-
rizzato per molti secoli la storia di questa splendida regione; civiltà che nel loro passaggio hanno lasciato un'im-
pronta non solo sul territorio ma anche nelle tradizioni culinarie
dell'isola. È possibile, perciò, ritrovare le tracce delle differenti popolazioni che si sono succedute, negli in-
gredienti e nei piatti arricchiti dalla fanta-
sia dei siciliani.

Pasta cu li sardi
Pasta con le sarde

Bucatini o perciatelli, 350 g
Sarde, 5-600 g
Una cipollina
Cimette di finocchietto selvatico
2 acciughe
Mandorle, pinoli, uvetta
Pangrattato
Zafferano
Olio d'oliva

Mettete a bagno un pugno d'uvetta
in acqua tiepida. Tostate nel forno un
pugno di mandorle sgusciate, in padella,
con un velo d'olio, una generosa manciata
di pangrattato. Scottate un mazzetto di cime di finocchio selvatico in
abbondante acqua salata, conservandola dopo averle scolate. Pulite
le sarde: apritele a portafoglio eliminando teste e lische. Fate appassire la cipollina a lamelle in padella con 4-5 cucchiai d'olio e le acciughe sfilettate, lasciandole disciogliere: unite l'uvetta strizzata, un
cucchiaio di pinoli, una bustina di zafferano, salate, rimescolate e
fate insaporire. Poi aggiungete le cime di finocchio tranciate e le sarde (tranne 4-5 per guarnire).
Cuocete la pasta nell'acqua del finocchio, con una puntina di zafferano, e scolatela ben al dente: conditela con la salsa e cospargetela
di pangrattato. Trasferitela in una pirofila, guarnitela con le sarde intere, mandorle tritate, un filo d'olio e passatela in forno a 200 °C per
10 minuti.

Piscispata arrustutu
Pesce spada alla griglia

Pesce spada, kg 1 (quattro tranci)
Salsa salmoriglio

Cuocete il pesce alla griglia (3-4 minuti per lato), su brace rovente, dopo averlo lievemente unto e salato. In alternativa, ricorrete al grill del forno. Portatelo immediatamente in tavola col salmoriglio tiepido, preparato con aglio, olio, origano, prezzemolo, succo di limone, sale e pepe.

Sammurigghiu
Salsa all'origano

2 spicchi d'aglio   Prezzemolo
2 limoni   Olio d'oliva
Origano fresco

Versate un bicchiere d'olio in una casseruolina: unite poco a poco, sbattendo con una forchetta o con la frusta, mezzo bicchiere d'acqua calda e il succo dei limoni. Dosate sale e pepe: aggiungete quindi un cucchiaio colmo di origano fresco, un mazzetto di prezzemolo tritato e l'aglio schiacciato.
Fate cuocere adagio la salsa a bagnomaria per 8-10 minuti; trasferitela in un recipiente che avrete provveduto a scaldare e portatela in tavola. Se la desiderate più ricca, amalgamatevi la polpa di 2-3 pomodori grigliati, privati dei semi e passati anch'essi al mixer.

Sardi a beccaficu
Sarde a beccafico

Sarde, 1 Kg
4 acciughe sotto sale
Un limone
Pangrattato
Pinoli

Uva passa
Alloro
prezzemolo
Zucchero
Olio d'oliva

Lavate sotto acqua corrente le sarde e nettatele, eliminando testa e lisca: apritele a libro e fatele sgocciolare disposte l'una sull'altra.

Tostate un paio di generose manciate di pangrattato in padella con 3-4 cucchiai d'olio. Mischiatelo, in una terrina, con le acciughe pulite e spezzettate, un ciuffo di prezzemolo tritato, una manciata d'uva passa ammollata e strizzata, un pugno di pinoli, sale e pepe.

Farcite le sarde col composto e richiudetele. Adagiatele in una pirofila unta separate da foglie d'alloro. Spolverate di pangrattato, condite con un giro d'olio e il succo del limone in cui avrete disciolto un cucchiaino di zucchero. Mettete in forno già caldo a 180°C per mezz'ora, sfornate e servite.

Tunnina ca cipuddata
Tonno, cipolla e aceto

Tonno, 800 g (4 tranci)   Farina
Una cipolla   Aceto bianco
Prezzemolo   Olio d'oliva

Infarinate i tranci di tonno, salateli e dorateli in padella con 4-5 cucchiai d'olio. Sgocciolateli e teneteli in caldo. Fate appassire la cipolla a lamelle in teglia con 4-5 cucchiai d'olio: bagnate con un bicchiere scarso d'aceto quindi unite il tonno: fate insaporire breve-
mente, aggiungete la cipolla e un ciuffo di prezzemolo tritato. Dosate sale e pepe, spruzzate ancora lievemente d'aceto quindi servite.
Una pietanza che si gusta tanto calda che fredda.

Caponata

Melanzane, 800 g   Capperi
3 coste di sedano   Pinoli
2 cipolle   Zucchero semolato
2-3 pomodori   Aceto
Basilico   Olio d'oliva
Olive verdi (prive del nocciolo), 120 g

Pulite le melanzane, le avrete tagliate a fette e adagiate per
un'oretta su un vassoio, coperte di sale grosso, sotto un pe-
so che faciliti il rilascio dell'acqua di vegetazione, amaro-
gnola. Frattanto avrete nettato il sedano, scottandolo in acqua
poco salata per 5 minuti; dopo averlo scolato e tagliato
a tocchetti, lo avrete lasciato appassire in padella
con poco olio, tenendolo da parte.
Mondate le cipolle, affettatele fini e fatele appassire in padella con 3-4 cucchiai d'olio
insieme ai capperi lavati, alle olive e una
manciata di pinoli. Unite i pomodori pu-
liti e tagliati a pezzetti: lasciate insaporire
a fuoco lento (20').

Lavate le melanzane, asciugatele e tagliatele a dadini: doratele in padella con 4-5 cucchiai d'olio bollente.

Appena prendono colore, unite i sedani e l'intingolo di cipolle e pomodori. Mescolate e lasciate insaporire a fiamma tenue (20′), dosando il sale.

Unite un cucchiaino di zucchero e un bicchierino d'aceto che farete evaporare quasi del tutto: togliete dal fuoco, guarnite con una ciocca di basilico e fate freddare prima di servire. La caponata si può conservare per qualche giorno.

'Nzalata d'aranci
Insalata di arance

6 arance (preferibilmente tarocchi non eccessivamente maturi)
2-3 ciocche di prezzemolo   Olio d'oliva

Sbucciate le arance, liberandole della pellicola bianca: separate gli spicchi uno ad uno e tagliateli a pezzi, spogliandoli dalla pellicola che li riveste. Disponeteli su un piatto di portata e cospargeteli di prezzemolo tritato. Condite l'insalata con un filo d'olio d'oliva, sale e una macinata di pepe nero: una delizia con arrosti.

INDICE